D0869883

TOUT SUR BUFFY, ANGEL ET LES VAMPIRES

Le guide non officiel de *Buffy contre les Vampires*

N.E. GENGE

TOUT SUR BUFFY, ANGEL ET LES VAMPIRES

Le guide non officiel
de *Buffy contre les Vampires*

FLEUVE NOIR

Cet ouvrage est paru sous le titre
The Buffy Chronicles
Publié pour la première fois
par Three Rivers Press, New York

Traduit de l'américain
par Isabelle Troin

ISBN 2-265-07007-6

Pour Peter et Michael.
Merci.
Je vous aime.

Remerciements

Mon passage favori !

Si l'écriture est souvent une occupation solitaire, ce projet n'a pu être mené à bien que grâce au soutien généreux de nombreuses personnes.

Mes remerciements, donc, à :

Paul Sappe, ami et collègue, dont les arguments sont aussi justes qu'exprimés bruyamment.

Dan, John, et Steve pour m'avoir procuré autant de trucs bizarres en aussi peu de temps. Un jour, il faudra vraiment que je photographie le contenu de vos placards !

Aux personnes citées dans les articles qui suivent, et qui n'ont pas hésité à me faire profiter de leurs connaissances et de leur expérience, témoignant en plus d'une patience et d'une bonne humeur infinies envers la néophyte que je suis. Vous étiez tous si intéressants que je n'arrive à me fixer sur aucun des sujets en question, mais je reviendrai vous voir !

Toute l'équipe du Captain William Jackman Memorial Hospital qui a permis à deux enquêteurs munis d'appareils photos de circuler dans la morgue et dans d'autres recoins étranges.

Ling Lucas, aussi merveilleuse comme agent que comme amie.

Ellen van Wees, qui m'aide plus qu'elle ne le réalise.

Lorna Sainsbury, pour son sourire contagieux et ses talents administratifs.

John Sainsbury, qui traque les contradictions et retrouve les objets perdus.

Peter et Michael : aucun remerciement ne saurait exprimer ma gratitude pour toutes les occasions où vous avez donné la priorité à mon travail plutôt qu'au vôtre sans jamais vous en plaindre... Pour votre soutien, votre inépuisable gentillesse et votre amour !

Introduction

Tout le monde n'a pas droit à une deuxième chance.

A Hollywood, il est déjà assez exceptionnel d'en décrocher une première. Même si vous vous appelez Joss Whedon et que vous venez de remporter un Oscar pour *Toy Story*, même si tout le monde sait que c'est grâce à vous si *Waterworld* n'a pas définitivement sombré et que *Speed* est resté sur les rails, l'occasion de reprendre un projet à zéro n'est pas fréquente, loin s'en faut. Quant à le reprendre à zéro en tant que scénariste, réalisateur et créateur d'une série télévisée, c'est carrément une première !

Malgré son impressionnant CV de scénariste, Joss Whedon aurait pu être coincé par le flop du film *Buffy contre les*

Vampires, qui lui fit ranger dans ses cartons pendant près de six ans l'idée d'une lycéenne luttant contre les forces du mal, si un événement unique dans l'histoire de la télévision n'était pas survenu.

Grâce au succès phénoménal de la série *The X-Files*, le surnaturel était revenu à la mode ; toutes les chaînes voulaient profiter de ce nouvel engouement du public. Des dizaines de séries, malgré leur qualité, n'avaient pas réussi à percer. Or, bien qu'il n'ait pas été à la hauteur des espérances de Joss, *Buffy contre les Vampires* avait des fans acharnés qui le considéraient comme un film-culte, inclassable au même titre que *The Rocky Horror Picture Show*.

Les transpositions du petit au grand écran étaient à la mode au moment où Joss voulut créer une série télévisée plus conforme à sa vision originale de Buffy. *Star Trek, Les Pierrafeu, Le Saint* et *Mission Impossible* attiraient des millions de spectateurs dans les salles obscures. En même temps, la frontière qui séparait les acteurs de télévision des acteurs de cinéma devenait de plus en plus floue.

Quant au marché de la terreur pour adolescents et pré-adolescents, il était en pleine expansion avec des collections comme *Chair de Poule* ou *Les Contes de la Crypte*. S'il s'y prenait bien, Joss pouvait intéresser un public d'étudiants, à qui les aventures de Buffy et de ses amis rappelleraient l'époque pas si lointaine du lycée, de jeunes adultes qui avaient aimé le film à l'époque de sa sortie en salles, et de spectateurs plus matures fans de terreur.

Le paysage télévisuel en pleine mutation rendait plus attractifs les projets « marginaux ». Le nombre de spectateurs ne cessait d'augmenter, mais les chaînes se multipliaient aussi. Cherchant à conquérir et à fidéliser un public, les plus petites ne pouvaient qu'être intéressées par une nouvelle série bénéficiant de la renommée d'un film. Bref, la situation était idéale pour une rencontre entre WB Television et *Buffy*. La première y gagnait un scénariste populaire, la seconde, une base d'opérations où elle pourrait se développer dans la direction voulue.

Les grosses chaînes telles que NBC, ABC et CBS abandonnaient un tiers de leurs nouvelles séries après la diffusion de quatre épisodes, mais WB Television et la Fox s'engagèrent à diffuser toute une demi-saison. La suite prouva qu'elles avaient raison : l'audimat décolla immédiatement, et Buffy fut bien accueillie par les spectateurs et par les critiques.

Tout en conservant les dialogues incisifs, l'action et l'humour qui avaient ravi les fans du film, Joss Whedon put développer l'aspect « terreur » qui avait disparu entre sa première mouture du scénario et le tournage. Selon ses propres paroles : « Faire un film, c'est comme acheter un billet de loto. Le scénariste ne joue pas un rôle très important. Dans mon cas, la réalisatrice avait choisi de se concentrer sur l'aspect comédie à l'exclusion de tout autre. Pour la série, je m'en suis tenu à ma formule originelle : un tiers d'action, un tiers de terreur et un tiers d'humour. »

Dans « Bienvenue à Sunnydale », le pilote de la série (dont les deux parties font, à quelques minutes près, la même longueur que le film), Joss Whedon s'est concentré sur l'aspect « terreur » : le Maître jaillit d'une mare de sang ; le vampire qui lui sert de Calice fait froid dans le dos, et l'éclairage diffus des scènes souterraines renforce l'atmosphère de malaise. Bien sûr, on rit quand même à certaines répliques, comme la tirade classique de Cordélia : « Je ne voudrais surtout pas interrompre ta dégringolade sociale, mais je devais t'annoncer que le cours de gym est annulé. Tu n'auras pas le plaisir de rencontrer Mme Foster et ses poils sur la poitrine. Tout ça à cause du type extrêmement mort qu'on a trouvé dans les vestiaires ». Mais avant de se coucher, on jette quand même un coup d'œil sous son lit, juste au cas où...

Au fil des épisodes suivants, Joss Whedon et son équipe de scénaristes continuèrent à mélanger avec bonheur monstres légendaires et problèmes des adolescents des années 90, faisant du neuf avec de l'ancien et lui conférant un aspect d'autant plus inquiétant que les spectateurs peuvent s'identifier aux personnages. Pour les fans, *Buffy contre Les Vampires* est ce que le genre « terreur » peut offrir de mieux. Le but de cet ouvrage est de démontrer à quel point, en replaçant tout cela dans son contexte.

Première Saison

Episode :

« Bienvenue à Sunnydale » (1re et 2e parties)

Le résumé

Première partie : Buffy, ex pom-pom girl et critique de mode, arrive à Sunnydale pour recommencer une nouvelle vie. Plus de chasse aux vampires pendant les cours, plus de démolition de gymnase, plus d'Observateur pour évaluer ses techniques de combat... C'est bien ça ?

Pas du tout ! Dès le deuxième jour passé dans son nouveau lycée, elle trébuche sur le cadavre d'un jeune homme qui porte des traces de morsure plutôt que de suçons, et joue au chat et à la souris avec un bibliothécaire bien décidé à reprendre le flambeau de son précédent Observateur. Avant la fin de la deuxième soirée, elle s'est déjà fait une ennemie de la fille la plus en vue du lycée et peut dire adieu à son identité secrète de Tueuse. Pendant qu'elle tente d'expliquer sa mission à ses nouveaux amis abasourdis, le Maître complote sa perte.

Deuxième partie : Sunnydale grouille de vampires qui attendent une convergence mystique baptisée la Moisson devant survenir d'un instant à l'autre... A moins que Buffy, Alex et Willow ne puissent déjouer les plans du Maître.

Bien sûr, celui-ci a déjà mis ses pions en place : Darla, Luke et Jesse fraîchement transformé. Il compte utiliser l'un d'eux pour canaliser l'énergie dont il a besoin afin de se libérer de la « cage » immatérielle qui le retient prisonnier. Le banquet sanglant va commencer, et Buffy aura besoin de toute l'aide de ses nouveaux alliés pour y mettre un terme.

La version fouillée

La construction du Buffyvers

Pour un scénariste, s'attaquer au mythe, au folklore et aux interprétations hollywoodiennes qui ont défini le vampire moderne est à peine moins hasardeux que de se frotter à une de ces créatures sans le kit de survie mis à la mode par Abraham Van Helsing lorsqu'il chassait Dracula.

Quand il a créé l'univers de *Buffy contre les Vampires* pour le film du même nom, Joss Whedon a dû déterminer ses choix artistiques en fonction des nombreuses données définissant le vampire « standard », ainsi que de considérations techniques. Par exemple, faire voler un mort-vivant est plus spectaculaire que de le laisser marcher et offre des angles intéressants pour les prises de vue. Mais ça fait aussi exploser le budget des effets spéciaux...

Qui fait quoi ?

Numéros de production des épisodes :
Première Partie (Titre original : *Welcome to The Hellmouth*) 4V01,
Deuxième Partie (Titre original : *The Harvest*) 4V02
Date de première diffusion aux USA : 10 mars 1997
Scénariste : Joss Whedon
Réalisateurs : Charles Martin Smith (1re partie), John T. Kretchmer (2e partie)

Distribution

Buffy Summers	Sarah Michelle Gellar
Alexandre Harris	Nicholas Brendon
Willow Rosenberg	Alyson Hannigan
Cordélia Chase	Charisma Carpenter
Rupert Giles	Anthony Stewart Head

Invités

Le Maître	Mark Metcalf
Luke	Brian Thompson
Angel	David Boreanaz
Proviseur Bob Flutie	Ken Lerner
Joyce Summers	Kristine Sutherland
Darla	Julie Benz
Thomas « Debarge »	J. Patrick Lawlor
Jesse	Eric Balfour

Professeur	Natalie Strauss
Fille N° 1	Amy Chance
Fille N° 2	Tupelo Jereme
Fille N° 3	Persia White
Fille N° 4	Deborah White
Harmony	Mercedes McNab
Elève Cours d'Informatique	Jeffrey Steven Smith
Videur	Teddy Lane Jr.
Garçon	Carmine D. Giovinazzo

Le temps que Buffy arrive sur le petit écran, la création d'un univers mêlant tradition et originalité se compliquait encore à cause de la nécessité de rester fidèle au film et à l'évolution du genre vampirique tout en conservant de la marge pour surprendre les spectateurs semaine après semaine. Et le budget d'une série télévisée ne permet guère de folies. Pourtant, les vampires de *Buffy* volent quand même. Mais pas bien haut, comme dans la scène avec Cordélia, sur le parking (un problème de budget ou le refus de tomber dans le spectaculaire facile ?).

Les futurs scénaristes devaient également savoir si la série s'efforcerait ou non de conserver un certain réalisme. Par exemple, si Buffy tombe d'un toit, peut-on la rattraper au vol, ou doit-elle aller s'écraser sur le trottoir ? La première option est fertile en possibilités, la seconde augmente l'impact dramatique des scènes d'action.

Quoi qu'il en soit, les fans étant souvent très attentifs, il est impossible de revenir sur un choix déjà fait. Désormais, malheur au scénariste qui tenterait d'emprisonner Angel au fond d'un puits parce qu'il aurait oublié qu'il peut voler !

Jusqu'ici, le Buffyvers semble solidement ancré dans la tradition vampirique occidentale établie par Bram Stoker. Il n'a pas fait d'incursion du côté des versions plus exotiques, comme celle du Malay désincarné surtout connu pour sa narine unique. Il serait difficile d'intéresser le public américain à un vampire qui préfère le saké au sang, et encore plus de garder en mémoire les caractéristiques des cent quatorze types différents identifiés par la Société d'Etudes Vampiriques. La plupart des événements majeurs, comme la réunion de Drusilla et de son Sire ou l'emprisonnement du Maître étant liés à des églises, on peut supposer que la série continuera à adhérer à une vision chrétienne du monde : celle que les fans appréhendent le mieux.

Au début, l'église chrétienne comprenait davantage de démons que d'anges. Ils étaient responsables des maladies, de la folie et même des enfants qui se fourraient les doigts dans le nez. « J'étais possédé » reste une des excuses les plus courantes aux comportements *déviants*, bien qu'on ne la prenne plus au pied de la lettre comme entre le IVe et le XVIe siècle. *Du retour des morts et des malédictions démoniaques*, un ouvrage monastique rédigé au dixième siècle par un certain Benedito le Maigre, explique très succinctement les croyances de l'époque :

« Qu'un mort se relève, surtout un soir de pleine ou de nouvelle lune, indique la

Les enseignements de Buffy

† Evitez tout rendez-vous avec un garçon qui aime prendre des raccourcis à travers les cimetières.

† « C'est très démodé, le gaz paralysant. » – Buffy

† N'appelez jamais votre proviseur par son prénom, même s'il vous le demande.

† Pour faire annuler un cours de gym, mieux vaut un type mort dans les vestiaires qu'un exercice anti-incendie.

possession par un démon, avant la mort mais après l'administration des derniers sacrements. Il appartient donc aux ministres du culte de s'assurer que le pénitent est bien à l'article de la mort — c'est-à-dire, qu'il trépassera d'ici le coucher du soleil — avant de faire leur œuvre, afin de réduire les occasions de possession et d'assurer au malheureux un repos bien mérité. »

Par chance pour les scénaristes et les spectateurs, la tradition vampirique occidentale regorge de contradictions qui laissent une certaine marge de manœuvre. Si l'eau bénite sert aussi bien à Buffy qu'à Abraham Van Helsing, la Tueuse n'a pas encore dû affronter des vampires capables de se changer en animaux ou en nuage de gaz au moment où elle allait leur percer le cœur. Bien que Giles ait préféré jeter le Manuel de la Tueuse après avoir rencontré Buffy, Kendra (l'autre « seule et unique élue ») l'a bien potassé, et elle sait qu'Angel sera incapable de s'enfuir en se glissant entre les barreaux de la cage dans laquelle elle l'a enfermé.

Les crucifix n'intégrèrent le mythe vampirique qu'à partir de 1897, quand Stoker les ajouta à l'arsenal de Van Helsing. Depuis, le symbole de la croix a été utilisé aussi bien dans le film muet *Nosferatu* (1922) que dans une des aventures de Sherlock Holmes, *Le Vampire du Sussex* (1924). Deux fourchettes en plastique, croisées, font même l'affaire dans le film vampirique culte du cinéma underground, *To Have and Have Not : A*

Vampire in McDonald's, produit pour la somme extravagante de $112 en 1977 et parodiant le célèbre roman d'Anne Rice, *Entretien avec un Vampire*.

Dans sa prison souterraine, le Maître réussit à passer outre l'énorme croix enterrée avec lui, mais peu de vampires à Sunnydale seraient capables d'un tel exploit. C'est sans doute cette faiblesse qui pousse Angel à offrir un crucifix à Buffy. Lui-même y est sensible, puisqu'il aura la poitrine brûlée avec au cours d'une étreinte passionnée avec la jeune fille. En réalité, tous les objets religieux d'origine chrétienne semblent effrayer les vampires de la série : même le sol consacré du cimetière leur fait mal aux mains quand ils déterrent les ossements du Maître !

Buffy n'ayant jamais été au restaurant avec son petit ami, nous ignorons si Angel serait aussi sensible à l'ail dans la sauce de sa salade. Mais la malédiction des Romani qui lui a rendu son âme nous renvoie une fois de plus au livre de Stoker, où le Comte Dracula a des serviteurs gitans.

Contrairement à l'ail, aux balles en argent et aux instruments eucharistiques tels que l'eau bénite ou les hosties, les miroirs sont sujets à de nombreuses contradictions dans le folklore vampirique. Dans *Le Vampire* de Kipling, publié la même année que le *Dracula* de Stoker, les morts-vivants sont fascinés par leur reflet.

De nombreuses légendes asiatiques, notamment indiennes, parlent de vampires dont l'obsession narcissique causa leur perte. Dans l'une d'elles, un djinn (version aquatique d'un génie) entraîne un mort-vivant dans le fleuve après qu'il se fut arrêté sur la berge pour se contempler à la surface de l'eau. Dans une autre, d'origine coréenne, le vampire est fasciné par son image aperçue dans le miroir d'une future victime. Le soleil se reflétant sur l'objet met un terme à son existence, et la victime se défendra plus tard contre les accusations de vanité en expliquant comment son miroir lui a sauvé la vie.

Influencé par son expérience orientale, Kipling trouvait sans doute que les vampires de Stoker étaient d'étranges créatures, puisqu'elles n'avaient pas de reflet et abhorraient les miroirs. Dans *Buffy contre les Vampires*, on constate à maintes reprises que c'est le cas d'Angel (voilà au moins un effet spécial qui ne coûte pas cher !)

Pourtant, si le Buffyvers suivait le raisonnement de Stoker en même temps que son exemple, Angel devrait être le seul vampire doté d'un reflet : en effet, dans *Dracula*, l'auteur suggère que les miroirs ont la capacité métaphysique de refléter l'âme d'une personne, ou sa conscience. De tous les vampires rencontrés jusqu'ici dans la série, Angel n'est-il pas le seul qui éprouve des remords ?

Angel, et plus tard Spike, sont l'archétype du séducteur ténébreux. Comme beaucoup de vampires charismatiques avant lui, Angel éveille une attirance irrésistible chez les femmes de sa non-

L'aviez-vous remarqué ?

Un des acteurs du pilote est un vampire chevronné : Brian Thompson a joué le rôle d'Eddie Fiori dans la série *Kindred : The Embrace*, tirée du jeu de rôles *Vampire : La Mascarade*, avant d'apparaître dans *Buffy contre les Vampires* sous les traits de Luke, le Calice du Maître.

•

Le décor du Lycée de Sunnydale vous semble familier ? La série est tournée à Torrance High, qui a déjà servi de cadre aux trois premières saisons de *Beverly Hills*. Comme quoi, tout n'est pas toujours rose dans les beaux quartiers…

•

Observez les livres que Giles tente de remettre à Buffy. Dans la première prise, la tranche se trouve face à Sarah Michelle Gellar ; dans la seconde, face à Anthony Stewart Head, et dans la troisième, de nouveau face à Sarah Michelle Gellar.

•

Observez le videur du *Bronze*. Bien que Cordélia dise que l'entrée est gratuite, on le voit recevoir de l'argent des jeunes qui font la queue devant lui. Même si le *Bronze* est la seule boîte de Sunnydale, difficile d'imaginer qu'il faille graisser la patte de quelqu'un pour entrer dans un endroit infesté de cafards !

vie. Ses yeux noirs et l'aura de danger qui l'entoure, sa voix basse et veloutée sont autant de caractéristiques typiques du buveur de Sang moderne.

Quoique toutes les fictions vampiriques s'inspirent en grande partie du roman de Stoker, son Dracula n'avait pas grand-chose en commun avec les créatures pâles et séduisantes qui peuplent le sous-sol de Paris dans *Entretien avec un Vampire*, le gentleman sexy de *Les Maîtresses de Dracula* ou les protagonistes de *Buffy contre les Vampires*. Le Comte était une créature décrépite suant la décomposition et la dépravation. En créant le Maître, antithèse des personnages ouvertement « sexy » d'Angel, de Spike et de Drusilla, le Buffyvers combine les deux versions les plus communes dans le folklore vampirique occidental.

Quizz de l'apprentie tueuse

Questions

1. Qui est né le 14 avril 1977 ?
   A Alyson Hannigan
   B Sarah Michelle Gellar
   C Charisma Carpenter
   D Anthony Stewart Head

2. Qui interprétait Buffy dans le film original ?
   A Kristy Swanson
   B Sarah Michelle Gellar
   C Marina Sirtis
   D Gillian Anderson

3. Qui double Sarah Michelle Gellar lors des cascades ?
   A Bianca Lawson
   B Mary Lou Retton
   C Marti Noxon
   D Sophia Crawford

4. Qui interprète le générique de la série ?
   A Marilyn Manson
   B Def Leppard
   C Alice Cooper
   D Nerf Herder

5. Quel acteur du pilote est revenu plus tard dans un rôle complètement différent ?
   - A Brian Thompson
   - B Mark Metcalf
   - C Seth Green
   - D David Boreanaz

Réponses

1. B 2. A 3. D 4. D 5. A

Episode :

« Sortilèges »

Le résumé

Même une Tueuse a besoin d'un passe-temps pour se distraire de son travail. Cherchant à retrouver, au moins en partie, sa vie d'adolescente normale, Buffy décide de passer les tests de sélection pour l'équipe des pom-pom girls. Pas de vampires du côté du gymnase, mais quand une titulaire de l'équipe fait l'objet d'une combustion spontanée, il semble clair que d'autres forces maléfiques sont à l'œuvre.

L'une après l'autre, les pom-pom girls sont victimes d'accidents bizarres permettant aux remplaçantes d'obtenir une des places tant convoitées. C'est à Buffy qu'incombe cet honneur, ce qui fait d'elle la prochaine victime sur la liste de sa camarade Amy...

La version fouillée

Les Subtilités de la détection des sorcières

Dès le début, il semblait évident que la Buffy du petit écran devrait être plus complexe que celle du film. La Bouche de l'Enfer, point de convergence mystique situé dans les sous-sols de Sunnydale, fournit le prétexte idéal pour mettre en scène toute sorte de méchants et continuer à divertir les spectateurs en offrant à Buffy de nouveaux défis.

Par chance pour Buffy, Alex, Willow et Giles n'ont pas eu de mal à trouver dans leur bibliothèque plusieurs moyens d'identifier et de détruire les sorcières. Depuis le Moyen Age, les chasseurs de sorcières tiennent à jour leur documentation avec une ferveur au moins égale à celle d'un Observateur.

Pour ceux qui ne disposent pas des ressources d'un laboratoire de chimie, et qui ne peuvent pas se procurer de mercure, d'acide nitrique ou d'yeux de salamandre, il existe une technique peu compliquée à mettre en application. Elle consiste à attacher la sorcière présumée à un tabouret en liant son pouce droit à son orteil gauche et inversement, puis à immerger le tout dans l'eau.

Pour les chrétiens, en effet, l'eau symbolise les fonds baptismaux : ils pensent qu'elle rejettera tout adorateur du démon et le renverra à la surface. Aucun d'eux n'a songé que dans cette position (que les sauveteurs préconisent pour conserver sa chaleur corporelle quand on se retrouve perdu en mer sans embarcation), n'importe qui flotterait ! Si la sorcière réussissait à défier les lois de la physique et à couler quand même, la malheureuse se noyait avant qu'on ait pu la sortir de l'eau... Mais comme elle avait ainsi prouvé son innocence, elle pouvait être enterrée avec tous les égards dus à une bonne chrétienne.

Maigre consolation...

Les variantes de cette technique abondent, généralement dictées par la géographie locale et l'imagination des habitants. Dans une communauté ne disposant que d'un ruisselet peu profond, on pouvait attacher la sorcière à une planche et la plonger dans l'eau tête en bas pendant que les inquisiteurs récitaient des versets de la Bible.

Or, toute personne immergée dans cette position se noie presque aussitôt. Et même si elle était exceptionnellement robuste, considérant que les inquisiteurs choisissaient toujours une prière très longue et la faisaient réciter par le paroissien au débit le plus lent, elle n'avait pas grande chance de s'en tirer. Heureusement pour Amy, nous avons découvert que le Lycée de Sunnydale possédait une piscine seulement quand les nageurs de l'équipe ont commencé à se changer en monstres !

Autre croyance répandue : en échange

des pouvoirs qu'il lui conférait, le démon marquait le corps de sa fidèle servante. Une tache de naissance, une petite cicatrice ou même un grain de beauté pouvait ainsi passer pour la Marque du Démon. Certains chasseurs de sorcières affirmaient même qu'il s'agissait d'un troisième sein permettant à l'infidèle de nourrir son familier. (Avoir un animal domestique était bien entendu une raison parfaitement valable pour soupçonner une femme de sorcellerie.)

Quelque forme qu'elle prenne, la Marque du Démon apparaissait sur une partie du corps masquée par les vêtements ; les inquisiteurs devaient donc déshabiller la pénitente et lui raser tout le corps avant de l'examiner, surtout dans la région des parties génitales.

Appliquée par le démon en personne, cette marque était censée résister à toute dégradation physique. On pouvait la larder de coups de couteau sans que la victime n'éprouve de douleur ni ne saigne. Le nombre de sorcières ainsi démasquées semble étonnamment élevé ;

mais il faut savoir que les inquisiteurs utilisaient *deux* instruments identiques. Ils se piquaient avec le premier pour

Qui fait quoi ?

Numéro de production de l'épisode :
(Titre original : *The Witch*) 4V03
Date de première diffusion aux USA :
17 mars 1997
Scénariste : Dana Reston
Réalisateur : Stephen Cragg

Distribution

Buffy Summers	Sarah Michelle Gellar
Alexandre Harris	Nicholas Brendon
Willow Rosenberg	Alyson Hannigan
Cordélia Chase	Charisma Carpenter
Rupert Giles	Anthony Stewart Head

Invités

Joyce Summers	Kristine Sutherland
Amy Madison	Elizabeth Anne Allen
Catherine Madison	Robin Riker
M. Pole	Jim Doughan
Lishanne	Nicole Prescott
Chef des Pom-Pom Girls	Amanda Wilmshurst
Docteur Gregory	William Monaghan

démontrer son efficacité, et, sur la sorcière, utilisaient le second, dont la pointe se rétractait.

Bien entendu, la bande à Buffy n'a pas songé à recourir à cette option. Même les étudiants les plus obtus se seraient aperçus de quelque chose si la Tueuse s'était mise à planter des aiguilles dans le corps de ses camarades pendant le cours de biologie.

Les inquisiteurs disposant d'un équipement limité pouvaient ligoter la sorcière nue dans un cellier, voire sur la place du village, et lui ordonner de répéter une prière toute une nuit durant (le *Notre Père* était un choix très populaire). Quand elle s'arrêtait de parler, on lui lançait des seaux d'eau glacée jusqu'à ce qu'elle recommence.

En dépit de sa constante invocation du nom de Dieu, si une créature vivante quelconque l'approchait au cours de cette épreuve — cafard, chat ou même rat, très répandus dans les colonies infestées de vermine —, les inquisiteurs affirmaient que c'était un diablotin

Les enseignements de Buffy

† « Je ris à la figure du danger. Puis je trouve un trou où me cacher. » – Alex

† Rien de bon ne se produit jamais dans les vestiaires d'un lycée.

† Barbie est l'outil de travail préféré des sorcières.

† Les jolies filles peu vêtues sont la figure religieuse préférée des adolescents.

envoyé par le Malin pour récupérer l'âme de la sorcière. Avant la soirée de fumigation, toute la clientèle du *Bronze* n'aurait eu aucune chance de leur échapper !

La profusion de symboles chrétiens utilisés pour démasquer les sorcières ne provoquait aucun étonnement aux époques médiévale et coloniale.

Les sorcières étaient considérées comme des agents du démon, voire comme ses maîtresses : bref, ses complices lorsque des torts étaient causés à leurs voisins. La Balance était une épreuve très populaire aux Etats-Unis ; beaucoup de communautés en avaient fait fabriquer d'énormes dans ce seul but (mais quand elles n'en possédaient pas, il était facile d'en improviser une avec une planche en équilibre sur un rondin).

Sous les yeux de tout le village, la suspecte était perchée dans un des plateaux ; un exemplaire de la Bible occupait l'autre. Si la balance penchait de son côté, le poids de ses péchés lui aliénait clairement la miséricorde de Dieu. Bien sûr, personne n'est jamais ressorti

L'aviez-vous remarqué ?

Si vous pensez que le portrait de Catherine Madison est un peu exagéré, révisez votre jugement ! Au Texas, une mère obsédée par l'intégration de sa fille dans l'équipe de pom-pom girls locale a engagé son beau-frère pour tuer la concurrente la plus sérieuse, également nommée Amber. Le prix de cette promotion ? Des boucles d'oreilles en diamant de deux carats.

•

La doublure d'Amber a oublié de mettre sa perruque longue avant que Buffy ne joue au pompier sur ses mains !

•

Le lycée de Sunnydale doit souffrir de restrictions budgétaires. Sans ça, pourquoi les voitures du cours de « préparation au Permis de Conduire » seraient-elles dépourvues de frein du côté accompagnateur ?

•

Vous avez remarqué le panneau « Epreuve de sélection des Pom-Pom Girls 1996 » dans les scènes qui se déroulent au gymnase ? Il peut vous paraître bizarre, sachant que la diffusion de la série a commencé courant 1997. Mais à l'origine, elle avait été prévue pour un lancement en début de saison, soit en septembre 1996.

•

Quelles sont les probabilités que la mère d'Amy se soit appelée Madison *avant* et *après* son mariage ? Pourtant, c'est bien le nom qui était inscrit sur son trophée de pom-pom girl, et c'est aussi celui que porte sa fille...

blanchi de cette épreuve, qui a même permis de faire condamner un chat à Rhode Island en 1876.

Certaines communautés avaient même réussi à imbriquer le jugement et sa mise en application : sous le plateau métallique destiné à la sorcière, elles allumaient un feu avant le début de l'épreuve afin que la suspecte soit grillée vivante. A côté de ces rituels barbares, renverser un peu de décoction d'yeux de salamandre sur une camarade pour voir si elle devient bleue semble bien inoffensif.

Quelques-uns des moyens de détection traditionnels, toutefois, se révélaient un peu plus subtils que ceux que nous venons d'évoquer. Par exemple, les trèfles à quatre feuilles étaient censés se faner en présence d'une sorcière, tout comme les roses et la lavande.

A l'instar des vampires orientaux, les sorcières avaient la réputation d'être des créatures vaniteuses. Donc, toute femme se promenant avec un miroir sur elle (dans sa poche ou dans son sac à main) pouvait en être une. Celles qui s'admiraient un peu trop longuement dans l'eau étaient certaines d'y faire un plongeon peu de temps après. Quant à celles qui témoignaient le moindre intérêt sexuel pour un homme, fût-il leur mari, elles avaient de toute évidence succombé à l'attrait licencieux du démon.

Quizz de l'apprentie tueuse

Questions

1. Quelle actrice de *Buffy contre les Vampires* doit son prénom à un parfum d'Avon ?
   A Charisma Carpenter
   B Alyson Hannigan
   C Sarah Michelle Gellar
   D Kristine Sutherland

2. Auquel de ces films Joss Whedon n'a-t-il pas participé en tant que scénariste non cité au générique ?
   A *Twister*
   B *Toy Story*
   C *Waterworld*
   D *Speed*

3. Dans laquelle de ces séries télévisées ne trouve-t-on pas de vampires ?
   A *Kolchak : The Night Stalker*
   B *NightMan*
   C *Dark Shadows*
   D *Forever Knight*

4. Quel personnage de *Buffy contre les Vampires* doit son nom à « une fille vraiment méchante » qu'a connue autrefois la femme de Joss Whedon ?
   A Amy
   B Marcie
   C Harmony
   D Cordélia

5. En quelle année fut publié le roman *Dracula* ?
   A 1816
   B 1888
   C 1897
   D 1901

Réponses

1. A 2. B 3. B 4. D 5. C

Episode :

« Le Chouchou du Prof »

Le résumé

Buffy et Willow devraient être aveugles pour ne pas remarquer qu'Alex et tous les autres garçons du lycée sont fous de la remplaçante du professeur de biologie, la très séduisante Mlle French. Bien sûr, elles devraient aussi être aveugles pour ne pas remarquer que la tête décapitée de leur ancien professeur repose sur une étagère du frigo de la cantine. Mais Alex refuse d'y voir un événement louche, même quand ses amis, travaillés par leurs hormones comme lui, commencent à disparaître après leurs cours particuliers avec Mlle French.

La version fouillée

Puceaux : Une espèce en danger

Il va sans dire qu'on ne peut pas faire une série comme *Buffy contre les Vampires* sans évoquer de temps à autre le sujet de la sexualité et de la virginité, qui jouent un rôle si important dans la vie des adolescents. Malgré toutes les campagnes publicitaires qui incitent les jeunes à se réserver pour le grand amour, et à ne pas précipiter la « première fois », les camarades masculins de Buffy n'étaient pas très motivés pour s'accrocher à leur innocence, même avant l'arrivée de Mlle French.

Traditionnellement, les pucelles sont une matière première de choix pour les sacrifices. Le volcan à côté de chez vous menace d'entrer en éruption ? Pas de problème : jetez une pure jeune fille dans le cratère pour apaiser sa colère. Vous avez besoin de savoir comment va tourner la bataille que s'apprête à livrer votre communauté ? Facile : ouvrez le ventre de votre plus jeune fille pour lire l'avenir dans ses entrailles chaudes. Les dieux de la météo se déchaînent ? Rien de tel que de jeter une vierge vêtue de lin dans le fleuve le plus proche pour enrayer la montée des eaux.

A côté de ça, se faire agresser sexuellement par une mante religieuse géante n'a pas l'air si terrible... Et pour une fois, c'est aux puceaux mâles que la créature s'en prend !

La tristement célèbre Erzebeth Bathory, comtesse issue de l'une des familles transylvaniennes les plus influentes du XVIe siècle, pensait que le sang des vierges nubiles pouvait lui donner une éternelle jeunesse. Mais comme elle n'était pas un vampire au sens technique du terme, elle trouva de nouveaux moyens de mettre sa théorie en application.

Au fil de sa vie, elle tua des dizaines,

voire des centaines d'adolescents (dont quelques mâles de l'âge d'Alex) en leur tranchant la gorge au-dessus de sa baignoire. C'était moins salissant que de leur mordre le cou ou de leur arracher la tête, et ça lui donnait le plaisir de s'immerger dans leur sang encore chaud. Elle fut jugée pour une pléthore d'autres exactions commises sur les jeunes gens de sa maisonnée, qu'elle n'hésitait pas à faire sortir nus dans la neige des Carpates avant de leur verser des seaux d'eau glacée dessus et de lancer ses chiens à leurs trousses.

La virginité (ou son absence) affectait également les options de carrière offertes aux jeunes Grecques de l'Antiquité. Dans les temples, n'importe quelle adolescente pouvait éclairer les lanternes et lessiver les sols. Mais seules les pucelles avaient accès à la prêtrise. L'Oracle de Delphes n'avait pas besoin de ses pouvoirs divinatoires pour savoir ce qui lui arriverait au cas où elle perdrait sa virginité : elle serait jetée dans la fosse remplie des gaz toxiques qui provoquaient ses visions.

Qui fait quoi ?

Numéro de production de l'épisode :
(Titre original : *Teacher's Pet*) 4V04
Date de première diffusion aux USA :
24 mars 1997
Scénariste : David Greenwalt
Réalisateur : Bruce Seth Green

Distribution

Buffy Summers	Sarah Michelle Gellar
Alexandre Harris	Nicholas Brendon
Willow Rosenberg	Alyson Hannigan
Cordélia Chase	Charisma Carpenter
Rupert Giles Head	Anthony Stewart
Angel	David Boreanaz

Invités

Proviseur Bob Flutie	Ken Lerner
Mlle French	Musetta Vander
Slayne	Jackson Price
Vraie Mlle French	Jean Speegle Howard
Docteur Gregory	William Monaghan
SDF	Jack Knight
Professeur	Michael Robb Verona
Copain N° 1	Karim Oliver

Quant aux vestales du temple d'Apollon, elles avaient le choix entre rester vierges ou subir le Rituel des Cent Lames. Une ou deux auraient pourtant dû suffire... Mais il paraît, dans les rares occasions où le châtiment fut infligé, que les bourreaux prirent garde à maintenir leur victime en vie jusqu'au dernier coup.

A défaut de virginité, le célibat est une condition requise de nombreux ordres religieux. Les prêtres et les nonnes catholiques en sont l'exemple le plus répandu. L'Eglise de la Transfiguration est une secte californienne dont les jeunes prêtres mâles doivent s'abstenir de toute pratique sexuelle deux jours avant la célébration d'une messe.

Les Musulmans doivent pratiquer une abstinence périodique, même après le mariage, afin de pouvoir se consacrer à leurs études religieuses. Toute infraction est sévèrement punie.

Alex ne devrait pas se sentir aussi démoralisé par son statut de puceau. Malgré les tourments endurés au fil des siècles, les vierges étaient censés bénéficier d'une plus grande chance que le commun des mortels.

A titre d'exemple, les chevaliers qui livraient leur première bataille sans

Les enseignements de Buffy

† Les laxatifs font partie intégrale de la psychothérapie à retardement.

† Si vous voulez tomber les filles, admettre que votre second prénom est Lavelle n'est pas une bonne idée.

† « Les besoins doivent être satisfaits, à condition qu'ils n'entraînent pas l'utilisation de cataplasmes le lendemain. » – Alex

† Même les vieillards qui prennent leur mère pour un Pékinois et qui hurlent régulièrement à la lune ont parfois raison.

† Pour enregistrer un sonar de chauve-souris, mieux vaut être un bibliothécaire sourd.

† Rien n'est plus effrayant que le contenu du frigo d'une cantine scolaire, même quand une étagère n'est pas occupée par la tête tranchée de votre professeur de biologie.

jamais avoir eu de rapports sexuels étaient censés revenir avec leur bouclier au bras plutôt que couchés dessus. C'est peut-être pour ça qu'on demande aux athlètes de haut niveau de renoncer aux galipettes avant une compétition...

Utilisé par un prêtre, le sang de vierge participait à la réalisation de toute sorte de miracles. Les magiciens pouvaient lire l'avenir dans un bol de larmes de vierge. Les licornes ne pouvaient être capturées, puis utilisées comme montures, que par

L'aviez-vous remarqué ?

Pas étonnant que le docteur Gregory n'ait pas réussi à identifier la mante religieuse géante : il n'est même pas capable de distinguer une fourmi d'un scarabée sur ses propres diapos !

•

Les erreurs de continuité ne cessent pas. Observez les manches de Mlle French pendant qu'elle prépare son étrange déjeuner. Relevées, baissées, relevées... On aurait pourtant cru qu'elle avait les mains trop occupées par son sandwich pour ajuster sa tenue.

des vierges pures de corps et de cœur. Une boucle de cheveux de vierge protégeait, dit-on, des maladies vénériennes. Reste à savoir si le puceau ou la pucelle qu'on saignait, rasait ou obligeait à pleurer au-dessus d'un bol se considérait vraiment comme chanceux !

La recherche frénétique d'une vierge a fait l'objet de nombreux films de terreur. Les récits qui mettent en scène des jeunes filles drainées de leur sang et sacrifiées lors d'obscurs rituels magiques sont légions. *Once Bitten*, l'histoire d'une famille de vampires en quête de cette créature exceptionnellement rare qu'est un puceau, fait un usage humoristique des stéréotypes, tout comme l'épisode « Syzygy » de *The X-Files*, où deux jeunes filles se servent de leur virginité pour attirer dans un piège l'étalon de leur lycée.

Que le sexe et la virginité soient devenus un thème récurrent dans la sorcellerie, le christianisme, le folklore vampirique et les anciennes prophéties a sans doute pour origine les superstitions des religions primitives effacées de notre mémoire collective occidentale. Les pratiquants du yoga tantrique, les bouddhistes de tradition tibétaine, les rites de l'Ordo Templi Orientis et ceux d'Aleister Crowley font tous appel à des pratiques sexuelles. On pense que la magie de ce type constitue une tentative pour se rapprocher de la Déesse et se fondre dans l'univers en partageant l'énergie vitale du grand Tout. Mais la théologie occidentale continue à identifier l'activité sexuelle au péché originel ; et même si elle a intégré un certain nombre de rituels païens, le sexe y reste un sujet tabou.

A l'époque victorienne, une intense répression sexuelle a provoqué l'émergence de dizaines de « sociétés théosophiques » (sorte de clubs occultes destinés à la noblesse), et suscité un engouement pour les œuvres artistiques mettant en scène des vampires, des loups-garous, des succubes et des incubes, tous considérés comme très charismatiques et sexuels, donc capables d'attirer des vierges des deux sexes.

Quizz de l'apprentie tueuse

Questions

1. Qui n'a jamais interprété un salarié de l'éducation nationale dans *Buffy contre les Vampires* ?
   A Brian Thompson
   B Armin Shimerman
   C Ken Lerner
   D Robia La Morte

2. Quel acteur figurant au générique de *Buffy contre les Vampires* a été attaqué en justice par McDonald's ?
   A Charisma Carpenter
   B Sarah Michelle Gellar
   C Anthony Stewart Head
   D Nicholas Brendon

3. Quel acteur de *Buffy contre les Vampires* est le seul à avoir un frère jumeau ?
   A Anthony Stewart Head
   B Nicholas Brendon
   C David Boreanaz
   D Seth Green

4. Quel chanteur ou groupe n'a jamais vu un de ses morceaux utilisés pour la bande sonore de *Buffy contre les Vampires* ?
   A Velvet Chain
   B The Flamingoes
   C Splendid
   D Marilyn Manson

5. Lequel des termes suivants ne signifie pas « vampire » dans une langue étrangère ?
   A Bruxsa
   B Kolchak
   C Lamia
   D Vampyr

Réponses

1. A 2. B 3. B 4. D 5. B

Episode :

« Un Premier Rendez-Vous Manqué »

Le résumé

Sauver l'univers des créatures maléfiques qui veulent le dévaster, c'est très bien... surtout pour l'univers. Mais ça n'a pas un impact très positif sur la vie sociale de la Tueuse. Buffy s'en aperçoit lorsque Giles découvre que le soir de son premier rendez-vous galant depuis son arrivée à Sunnydale est justement celui où doit s'accomplir une ancienne prophétie. Jongler avec son identité secrète et ses aspirations romantiques se révèle d'autant plus difficile quand elle découvre que son petit ami potentiel est tout excité par l'idée d'une chasse aux vampires.

La version fouillée

Membre du club : les identités secrètes

> GILES : Si ton identité de Tueuse venait à être connue, ça pourrait te mettre en grand danger.
> BUFFY : Dans ce cas, j'éviterai de porter le badge avec mon nom dessus.

Si on en croit les comics et les séries télévisées traitant de super-héros, une identité secrète est le premier attribut pour sauver le monde. On comprend mieux pourquoi après des épisodes comme « Angel », où la mère de Buffy manque servir de casse-croûte à Darla, et « la Métamorphose de Buffy », où la meilleure amie de la jeune fille, son Observateur et son professeur d'informatique sont suspendus tels des quartiers de viande en attendant leur exécution. Il ne fait pas bon crier sur les toits

Qui fait quoi ?

Numéro de production de l'épisode :
(Titre original : *Never Kill A Boy On A First Date*)
4V05
Date de première diffusion aux USA :
31 mars 1997
Scénaristes : Rob Des Hotel et Dean Batali
Réalisateur : David Semel

Distribution

Buffy Summers	Sarah Michelle Gellar
Alexandre Harris	Nicholas Brendon
Willow Rosenberg	Alyson Hannigan
Cordélia Chase	Charisma Carpenter
Rupert Giles	Anthony Stewart Head
Le Maître	Mark Metcalf
Angel	David Boreanaz

Invités

Owen Thurman	Christopher Wiehl
Milicien	Geoff Meed
Conducteur du Van	Robert Mont
Petit Garçon	Andrew J. Ferchland

qu'on est la Tueuse ; ça attire sur soi et sur son entourage toute sorte d'attentions dont on se passerait bien.

Même si Giles est un peu trop pessimiste, il n'a pas tort de songer à augmenter les primes d'assurance placées sur la tête des membres de la bande à Buffy. Les amis de la jeune fille se retrouvent plus souvent qu'à leur tour dans des situations périlleuses, voire mortelles. On comprend donc que son Observateur, un adulte responsable, souhaite voir le minimum d'adolescents impliqués dans la vie de la Tueuse.

Par exemple, même si Alex ne fait pas partie du lot suspendu par les pieds dans « La Métamorphose de Buffy », il ne cesse de se fourrer dans des guêpiers incroyables depuis qu'il a posé les yeux sur la Tueuse et décidé qu'il était amoureux d'elle. Prenons son coup de cœur pour la remplaçante du professeur de biologie dans « Le Chouchou du Prof ». Mlle French est en réalité une mante religieuse qui manque le dévorer. Les filles de son âge (ou du moins, qui en ont l'air) ne lui portent pas davantage chance dans « La Momie Inca ». Et c'est sans mentionner sa transformation dans « La Meute ». Il est vrai que Buffy n'a pas personnellement invité tous les monstres de la création à s'installer à Sunnydale.

Mais une fois qu'ils y sont et qu'elle décide de débarrasser la ville de leur présence nuisible, ses amis se retrouvent toujours impliqués dans les mauvais coups.

Le journal de Willow est sans doute devenu beaucoup plus intéressant depuis l'arrivée de Buffy. Avant, le récit de sa non relation amoureuse avec Alex devait remplir la plupart des pages. Maintenant, elle a des tas de choses passionnantes à raconter : sa romance virtuelle avec un robot-démon, la mort de ses amis du club d'informatique, sa rencontre avec un loup-garou...

Mais les amis de la Tueuse ne sont pas les seuls qui pâtissent de leur association avec elle. Prenez Cordélia. En l'espace d'une année scolaire, elle est rendue aveugle par une sorcière qui veut lui piquer sa place dans l'équipe des pom-pom girls, elle manque se faire dévorer par un démon lors d'une soirée

Les enseignements de Buffy

† Les calculs les plus précis du monde sont une mauvaise chose quand leur résultat sabote un premier rendez-vous.

† « J'ai crevé » est une bien meilleure excuse pour avoir loupé un rendez-vous que « J'étais au cimetière avec le bibliothécaire du lycée, attendant qu'un vampire sorte de sa tombe pour empêcher une vieille prophétie de se réaliser. »

† « Une Tueuse fatiguée est inefficace. » – Buffy

† C'est une mauvaise idée de sortir avec un garçon qui préfère vous voir vous battre contre des vampires plutôt que de lire Emily Dickinson, même si vous êtes la Tueuse.

† Spasmes post mortem mis à part, les cadavres sont censés rester immobiles dans leur tiroir, à la morgue.

† N'acceptez jamais de rendez-vous le soir où une prophétie majeure est censée se réaliser.

étudiante, elle est attaquée par une fille invisible qui veut la défigurer pour la punir de son indifférence, et presque décapitée par le frère d'un de ses ex qui joue les Frankenstein junior !

Et c'est sans compter ses nombreuses rencontres avec des vampires. Pas mal pour quelqu'un qui refuse qu'on la voit en public avec Buffy...

Du coup, on se demande quand les autres étudiants feront enfin le rapport entre l'arrivée de Buffy et la soudaine recrudescence de morts violentes dans leurs rangs. Au rythme où disparaissent les lycéens, la Tueuse n'aura pas besoin de se chercher un cavalier pour le prochain bal : il n'en restera pas un seul d'intact ! Dans les deux premières saisons de la série, des dizaines d'entre eux

L'aviez-vous remarqué ?

D'où sort le bipeur avec lequel Buffy piège Giles ? Pas de sa poche, en tout cas, ni de celle du bibliothécaire ! Il n'a pu que se matérialiser directement dans sa main.

sont éliminés par une créature démoniaque ou une autre.

Le massacre commence par le type retrouvé mort dans les vestiaires au cours du pilote, et se poursuit gentiment à raison d'une victime minimum par épisode. Jusqu'à quand les autorités pourront-elles imputer ces disparitions à des gangs ou à des braqueurs masqués ?

Même si les lycéens ne sont pas assez futés pour additionner deux et deux, certains membres du corps enseignant ont quand même vu la Tueuse en action durant « Attaque à Sunnydale ». Ne trouvent-ils pas bizarre que le docteur Gregory se fasse décapiter, qu'un autre professeur soit étouffé par une fille invisible, une troisième possédée par un démon et le proviseur dévoré par des étudiants qui se prennent pour des hyènes ? Pourquoi ne demandent-ils pas à être mutés dans un établissement plus calme ? En Sibérie, par exemple.

Giles a sans doute raison : les habitants de Sunnydale ne veulent pas savoir ce qui se passe. Ils préfèrent croire qu'ils ont des hallucinations, et effacer de leur mémoire les souvenirs les plus perturbants : membres de gang au visage un peu trop grimaçant, costumes d'Halloween qui transforment la personnalité, battes de base-ball flottant en l'air ou pom-pom girls atteintes de combustion spontanée.

A moins qu'ils ne soient complètement stupides. Après tout, Clark Kent a réussi à berner Lois Lane pendant des années avec une simple paire de lunettes et un sourire timide.

Quizz de l'apprentie tueuse

Questions

1. Lequel de ces films ne met pas en scène une romance vampirique ?
   A *Muffy the Vampire Layer*
   B *Wanda Does Transylvania*
   C *Bite !*
   D *Moonlight Enchantment*

2. Qui interprétait le rôle de l'Observateur dans le film *Buffy contre les Vampires* ?
   A Anthony Stewart Head
   B Donald Sutherland
   C Joss Whedon
   D Charlton Heston

3. Lequel des acteurs de *Buffy contre les Vampires* a joué dans le film *J'ai épousé une extra-terrestre* ?
   A Seth Green
   B Alyson Hannigan
   C Charisma Carpenter
   D Robia La Morte

4. Quel endroit n'a pas servi de cadre de tournage pour *Buffy contre les Vampires* ?
   A Le zoo de San Diego
   B Disneyland
   C Le lycée Torrance
   D Le Jardin des Roses

5. Qui a obtenu son premier rôle à l'écran dans *Over The Brooklyn Bridge* ?
   A Nicholas Brendon
   B Anthony Stewart Head
   C Alyson Hannigan
   D Sarah Michelle Gellar

Réponses

1. D 2. B 3. A et B (il y avait un piège !) 4. B 5. D

Episode :

« Les Hyènes »

Le résumé

Tandis que Sunnydale continue à attirer des créatures toutes plus étranges les unes que les autres, Buffy et ses amis font une sortie scolaire. Au départ, tout se passe comme prévu : ils réussissent à semer le professeur responsable de leur surveillance, les groupes se reforment et les lycéens les plus en vue s'amusent à persécuter leur souffre-douleur. Bref, seul le cadre change ; le scénario, lui, reste identique. Du moins, jusqu'à ce qu'un groupe, où même Cordélia n'est pas assez méchante pour s'intégrer, commence à agir comme une meute de chiens, entraînant Alex dans son sillage...

La version fouillée

C'est fou ce qu'on trouve dans les bouquins de nos jours

Pas étonnant que Giles, qui adore les vieux bouquins poussiéreux, ait eu sous la main un exemplaire du *Malleus Maleficarum* (*Le Marteau des Sorcières*) ; en revanche, cet ouvrage ne figure sur aucune liste de lectures scolaires obligatoires et ne doit pas se trouver dans beaucoup d'autres bibliothèques que celle du lycée de Sunnydale...

Entre 1486 et 1669 (où il existait sous pas moins de trente éditions), le *Malleus Maleficarum* fut l'un des ouvrages les plus influents de son époque.

Avant qu'il ne fasse son apparition sur les étagères de tous les monastères, la sorcellerie n'était pas une pratique occulte mais plutôt un ramassis de récits folkloriques et de remèdes de bonne femme échappant à l'autorité de l'Inquisition. A la base, celle-ci reconnaissait trois types de criminels : les hérétiques, les apostats et les païens.

Les hérétiques (ceux qui affirmaient être chrétiens tout en affichant des opinions contraires à celles de l'Eglise) étaient punis sévèrement, même quand leur déviance, par rapport à la doctrine officielle, découlait uniquement de leur ignorance. Les apostats (anciens pratiquants qui dénonçaient l'Eglise ou même l'existence de Dieu) étaient les cibles favorites des inquisiteurs.

Mais jusqu'à la publication du *Malleus Maleficarum*, les païens (dont les sorcières faisaient partie) relevaient plutôt du domaine d'action des missionnaires, qui s'efforçaient de les convertir. Selon cet ouvrage, Tueuse de vampires et de démons, Buffy est elle-même une sorcière !

Comment un seul livre a-t-il pu déchaîner les passions contre des femmes qu'on considérait autrefois comme des folles ou de simples rebouteuses ? En amalgamant traditions folkloriques et rumeurs sans fondement pour les relier au culte de Satan, et en imaginant toute sorte de techniques d'identification des sorcières ! La similitude des confessions enregistrées à l'époque tient davantage à la prolifération du *Malleus Maleficarum* qu'aux expériences réelles des malheureuses victimes.

Le principe-clé du *Malleus Maleficarum*, c'est que la sorcellerie constitue une forme d'adoration du Malin. Une fois ce point établi, il n'était pas difficile d'énumérer toutes les façons dont une sorcière pouvait acquérir du pouvoir. Jakob Sprenger et Heinrich Kramer, les moines dominicains auteurs de ce littéraire instrument de torture, ont choisi la possession démoniaque comme l'explication la plus logique. Ils n'avaient aucune preuve pour appuyer leur argumentation, mais des manipulations mineures leur permirent de déformer la réalité pour la faire entrer dans le cadre qu'ils avaient défini.

Notre logique moderne ne peut comprendre qu'une femme ait été condamnée à Berne pour avoir agité un lièvre mort en direction du troupeau de son voisin, provoquant (dit-on) le décès de vingt-trois têtes de bétail. Mais l'Eglise était toute-puissante à l'époque, et il ne faisait pas bon contester son jugement.

On peut se demander pourquoi Giles, confronté à un groupe d'adolescents qui se conduisent comme des hyènes, se met à feuilleter un ouvrage dénonçant les méfaits de la sorcellerie. C'est parce que, selon Sprenger et Kramer, celle-ci relevait du même procédé que la possession démoniaque. Après avoir détaillé presque amoureusement le système de magie utilisé par les sorcières, et énuméré une kyrielle de méthodes susceptibles de traiter cette nouvelle forme d'hérésie, les auteurs du *Malleus Maleficarum* détaillent les pratiques permettant de libérer la sorcière du démon qui la possède. La plupart sont beaucoup moins plaisantes que les rituels assez sobres favorisés par les gardiens de zoo

Qui fait quoi ?

Numéro de production de l'épisode :
(Titre original : *The Pack*) 4V06
Date de première diffusion aux USA : 7 avril 1997
Scénaristes : Matt Kiene et Joey Reinkmeyer
Réalisateur : Bruce Seth Green

Distribution

Buffy Summers	Sarah Michelle Gellar
Alexandre Harris	Nicholas Brendon
Willow Rosenberg	Alyson Hannigan
Rupert Giles	Anthony Stewart Head

Invités

Proviseur Bob Flutie	Ken Lerner
Lance	Jeff Maynard
Le Gardien du zoo	James Stephens
M. Anderson	David Brisbin
Mme Anderson	Barbara K. Whinnery
M. Herrold	Gregory White
Joey	Justin Jon Ross
Adam	Jeffrey Steven Smith
Jeune femme	Patrese Borem
La Meute	Eion Bailey
	Michael McRaine
	Brian Gross
	Jennifer Sky

et les bibliothécaires de Sunnydale. Le plus courant, au XVe siècle, consistait à dépouiller la victime, d'abord de ses vêtements, puis d'une partie de son épiderme, avant de brûler ce qui restait d'elle après ce supplice. La mort n'était pas le résultat recherché, mais bien souvent celui obtenu.

D'autres ouvrages de la même période se bornent à répéter les concepts exposés dans le *Malleus Maleficarum*, en y ajoutant souvent les descriptions de pratiques sensationnelles. L'un d'eux affirme que pour intégrer un ordre de sorcellerie, la candidate devait avoir dans la même nuit des rapports sexuels avec un bouc, un taureau, un étalon et un mâle humain vierge.

Quelques traités élargissent la définition de la possession. L'ouvrage *Signes et Pratiques de la Possession Involontaire*, notamment, semble être une suite du *Malleus Maleficarum* ; il détaille les moyens que peut employer une sorcière pour expulser une âme du corps de son propriétaire.

Apparemment, il ne faudrait que quelques secondes à une âme démoniaque ou animale pour combler le vide spirituel ainsi laissé. Cette *transpossession* expliquerait de nombreux cas de folie, de crimes violents et de *garouage* (l'aptitude d'un être humain à se changer en animal).

Citons en exemple le cas de la sorcière allemande Bitta Wiesinger qui voyagea avec son époux, un importateur de pro-

Les enseignements de Buffy

† Les côtelettes doivent êtres cuites à point. La trichinose affecte encore un gros pourcentage des mascottes américaines.

† Manger votre proviseur risque de vous attirer plus d'ennuis qu'une simple retenue et un blâme pour mauvaise conduite.

† Les sorties scolaires ne sont pas toujours aussi innocentes qu'il y paraît.

† Vos amis se passeront très bien de ne pas connaître votre tension artérielle.

duits du sud de la Méditerranée, au cours de la seconde moitié du XVIe siècle. A son retour, elle écrivit à une cousine pour lui raconter sa visite à un zoo situé aux environs de Jérusalem. Là, pour la première fois de sa vie, elle avait contemplé des tigres blancs et des hyènes. Femme très éduquée pour l'époque, elle décrivit les créatures avec un luxe de détails pertinents, auxquels elle ajouta des observations sur leur comportement. Les hyènes, qu'un gardien était venu nourrir devant elle, lui avaient notamment fait une forte impression.

Cette lettre devait revenir la hanter bien des années plus tard, après la mort de son mari, quand elle s'en fut vivre dans la demeure familiale où résidait également sa correspondante. Peu de temps après son installation, elle se disputa avec un boucher qui, selon elle, lui avait vendu de la viande avariée. Suite à cette altercation, plusieurs autres femmes de sa maisonnée furent sauvagement agressées et mordues par ledit boucher.

Croiriez-vous que ce ne fut pas le criminel qui fut poursuivi, mais Bitta Wiesinger elle-même ? Il affirma ne se souvenir de rien, bien qu'il ait été formellement identifié par deux de ses victimes. De son côté, la cousine de Bitta déclara que son comportement lui avait rappelé la description des hyènes faite par la jeune femme vingt ans plus tôt (avec une famille pareille, qui a besoin d'ennemis ?). Bitta fut remise entre les mains de l'Eglise, qui s'empressa de la soumettre à la torture pour la possession involontaire du boucher.

D'autres parents de la veuve plaidèrent en sa faveur : comment aurait-elle pu envoyer l'âme d'une hyène posséder le commerçant alors que ces animaux vivaient à des milliers de kilomètres de là ? Mais *Signes et Pratiques de la Possession Involontaire* avait déjà répondu à cette question : par la vertu des lettres envoyées à sa famille, l'essence d'un de ces animaux sauvages (pas son âme :

L'aviez-vous remarqué ?

Willow ne devrait pas accorder une confiance aussi aveugle à son ordinateur. La première fois, il lui fournit des photos de hyènes ; mais les suivantes, ce sont des chiens sauvages africains, appartenant à une espèce cousine des dingos australiens. Or, les hyènes ont davantage de points communs avec les chats qu'avec les chiens ; elles ronronnent même ! Leurs plus proches parentes dans le règne animal sont les mangoustes.

seuls les humains en possèdent une) avait été ramenée du Moyen-Orient, comme le prouvaient les souvenirs vivaces de sa cousine. Pour s'être plainte d'un fournisseur peu scrupuleux, Bitta Wiesinger fut torturée pendant onze jours et brûlée sur une colline surplombant sa maison. Le boucher fut relâché, et jamais inquiété par la justice.

Quizz de l'apprentie tueuse

Questions

1. Qui est né le 12 avril 1971 ?
   - A Charisma Carpenter
   - B Nicholas Brendon
   - C Alyson Hannigan
   - D Sarah Michelle Gellar

2. Quel acteur figurant au générique de *Buffy contre les Vampires* a remporté un Emmy en 1995 ?
   - A Charisma Carpenter
   - B Nicholas Brendon
   - C Alyson Hannigan
   - D Sarah Michelle Gellar

3. Lequel de ces acteurs n'a pas interprété le rôle de Dracula ?
   - A Bela Lugosi
   - B Gary Oldman
   - C Louis Jourdan
   - D Boris Karloff

4. Combien de temps faut-il pour filmer un épisode de *Buffy contre les Vampires* ?
   A 5 jours
   B 8 jours
   C 10 jours
   D 14 jours

5. Qui a joué dans le feuilleton *Jackie* aux côtés de Sarah Michelle Gellar ?
   A Mark Metcalf
   B David Boreanaz
   C Anthony Stewart Head
   D Joss Whedon

Réponses

1. B 2. D 3. D 4. B 5. A

Episode :

« Alias Angélus »

Le résumé

Les rêves romantiques que fait Buffy au sujet du très séduisant et très ténébreux Angel se transforment en cauchemar quand elle le découvre penché sur le cou ensanglanté de sa mère, après qu'elle l'eut invité chez elles. Giles fait le rapprochement entre Angel et Angélus, un démon qui terrorisa l'Europe au siècle précédent. L'étiquette en vigueur voudrait que la Tueuse exécute Angel, comme le font remarquer avec vigueur Giles et surtout Alex. Mais tout se complique avec l'intervention de Darla, l'ancienne maîtresse d'Angel. Buffy n'aura peut-être pas le temps de trier les bons et les mauvais vampires...

La version fouillée

Et maintenant ?

Si votre sœur, votre père ou votre petit ami s'est fait vampiriser, la logique dicte une seule réaction : il faut le tuer ! Même si les motivations d'Alex ne sont pas tout à fait d'une pureté limpide, la solution qu'il préconise est la même que celle de Giles.

Les vampires boivent le sang des humains et se reproduisent comme des lapins. La Tueuse leur perce le cœur sans se poser de questions. Du moins est-ce ainsi que cela devrait se passer.

Mais comme pour prouver qu'on ne peut pas juger un livre d'après sa couverture, ou un film d'après son affiche, certains scénaristes éprouvent le besoin sadique de faire d'un vampire le héros romantique d'une série. Toutes les femmes, et pas seulement les fans de terreur, ont un faible pour les « gueules cassées », les hommes qui ont beaucoup souffert et à qui elles pensent que leur amour offrira la Rédemption. Souvenez-vous de *Forever Knight* et de son personnage principal torturé : un vampire encore plus âgé qu'Angel qui, comme lui, avait renoncé à se nourrir de la manière conventionnelle et pillait les banques du sang.

Evidemment, le mythe lié à Nick Knight est très différent de celui associé à Angel. Nick n'a jamais été possédé par un démon, de sorte que les gitans n'auraient pas pu faire grand-chose pour lui. Il en est venu de lui-même à haïr sa nature vampirique et, malgré ou à cause de la soif qui le taraudait, à s'efforcer de retrouver son humanité.

Vu que Buffy est la Tueuse, et qu'elle ne laissera pas volontairement un démon s'installer dans sa tête, il semble que pour entretenir une liaison sérieuse avec Angel, elle devra tôt ou tard trouver un moyen de le débarrasser du sien. Plus facile à dire qu'à faire si on en croit les références littéraires. Il existe des dizaines de moyens répertoriés de tuer

Qui fait quoi ?

Numéro de production de l'épisode :
(Titre original : *Angel*) 4V07
Date de première diffusion aux USA :
14 avril 1997
Scénariste : David Greenwalt
Réalisateur : Scott Brazil

Distribution

Buffy Summers	Sarah Michelle Gellar
Alexandre Harris	Nicholas Brendon
Willow Rosenberg	Alyson Hannigan
Rupert Giles	Anthony Stewart Head

Invités

Le Maître	Mark Metcalf
Angel	David Boreanaz
Joyce Summers	Kristine Sutherland
Darla	Julie Benz
Colin	Andrew J. Ferchland
Vampire Agressif	Charles Wesley

un vampire, mais à ce jour, un seul de le guérir : en éliminant son Sire, c'est-à-dire le mort-vivant qui l'a créé.

Comme Buffy s'est déjà chargée du Maître et qu'Angel a personnellement réglé son compte à Darla sans provoquer d'amélioration notable de son état, nous pouvons en déduire que ce remède particulier n'existe pas dans le Buffyvers. Dans la deuxième saison, l'arrivée de Spike et de Drusilla, qui essaieront de rendre ses forces à cette dernière en utilisant le sang d'Angel, mettra un terme définitif à toute spéculation.

L'idée que le vampirisme découle d'une possession démoniaque n'est pas nouvelle. Comme les sorcières, les vampires passaient autrefois pour des instruments du Malin, contrôlés par un démon placé à l'intérieur du corps de la victime. Cette théorie est à la fois un danger et un espoir pour Angel. L'Eglise catholique a développé un grand nombre de rituels d'exorcisme permettant d'expulser un démon au moyen de prières et d'artefacts saints.

Les enseignements de Buffy

† Difficile de cacher son journal intime quand votre petit ami peut voler.

† Si votre fille prend des cours de rattrapage en Histoire avec deux étudiants différents, et que ses notes sont toujours aussi mauvaises, il y a anguille sous roche.

† Ne partagez jamais un rebord de fenêtre avec le garçon qui a mordu votre mère.

Tout le problème, c'est de savoir ce qui restera après la disparition du démon. Selon Giles : « un vampire n'est pas une personne. Il peut avoir les attitudes, les souvenirs et même le caractère de son hôte, mais il reste un démon. » Donc, sans son démon pour l'animer, Angel ne serait peut-être qu'un légume.

Mais le principal intéressé a un avis différent sur la question. « Les anciens ont inventé une parfaite punition pour moi : ils m'ont rendu mon âme. » Cela veut-il dire que l'âme d'Angel cohabite dans son corps avec celle du démon ?

Quelle idée fascinante... Dans ce cas, un exorcisme serait peut-être de mise... s'il accepte de renoncer à son existence vampirique.

L'aviez-vous remarqué ?

A Sunnydale, soit les rues sont remarquablement identiques, soit elles tournent en rond. Observez l'arrière-plan pendant que Buffy rentre chez elle après être sortie du *Bronze*. Vous voyez cette fenêtre verte éclairée ? Plus tard, après leur bagarre contre le Trio, Buffy et Angel continuent leur chemin vers la maison de la Tueuse… et repassent devant la même fenêtre.

•

Qu'est-ce qui a poussé Giles à passer la nuit à la bibliothèque ? Aux dernières nouvelles, Buffy n'avait pas de téléphone portable : quand a-t-elle pu l'appeler ? Et comment Darla a-t-elle su qu'Angel se rendrait chez Buffy au moment où elle a tendu une embuscade à la mère de la jeune fille ? A moins que son plan ait été différent, et qu'elle ait improvisé à cause de son apparition…

•

Buffy demande très sérieusement à Angel s'il ronfle. N'a-t-elle pas remarqué qu'il ne respirait même pas ?

Bien qu'ils soient assez rares, les bons vampires existent dans la littérature. L'un des plus connus, St. Germaine (personnage créé par Chelsea Quinn Yarbo) était âgé de trois mille ans. Il avait adopté le style de vie d'un érudit et s'était lié d'amitié avec des femmes incroyables. Les choses n'étaient pas toujours simples pour lui, mais les icônes religieuses ne le troublaient pas, et il ne semblait pas chercher un moyen de se guérir.

Comme Willow l'a fait remarquer, si Angel et Buffy continuent leur relation, la jeune fille vieillira, deviendra toute ridée et finira par mourir tandis que son compagnon demeurera éternellement jeune et séduisant. Une perspective guère attrayante...

Mais tout espoir n'est peut-être pas perdu. Giles adore fouiner dans ses bouquins ; il pourrait commencer à chercher un moyen de guérir les vampires plutôt que de les tuer systématiquement. Sans parler de Willow, la fée d'Internet qui, à la différence du bibliothécaire, apprécie

Angel. Qui sait ce qu'elle pourrait dénicher ?

Il existe un vampire de télévision qui a regagné son humanité : Janette, la bien-aimée de Nick Knight. Grâce à l'amour et à la patience d'un humain, elle a fini par se frayer un chemin hors des ténèbres. Dommage qu'elle ait été assassinée quelques jours plus tard...

Même si la réponse n'est pas évidente, les spectateurs pardonneront sans doute l'aspect romantique de la série qui empiète sur sa part d'action et d'humour. Tout le monde craque pour les jeunes amants, même quand l'un d'eux a plus de deux siècles ! A condition de ne pas tomber dans la mièvrerie, l'histoire d'amour condamnée entre Buffy et Angel peut nous tenir en haleine autant que l'aspect vampirique de la série.

Quizz de l'apprentie tueuse

Questions

1. Combien de temps faut-il pour maquiller David Boreanaz en vampire ?
   A Entre 15 et 30 minutes
   B Entre 30 et 60 minutes
   C Entre 60 et 90 minutes
   D 3 heures

2. Qui était voiturier au *Beverly Wilshire Hotel* avant d'être engagé pour *Buffy contre les Vampires* ?
   A Nicholas Brendon
   B Charisma Carpenter
   C Alyson Hannigan
   D David Boreanaz

3. Qui est né le 16 mai 1971 à Buffalo ?
   A Nicholas Brendon
   B Charisma Carpenter
   C Alyson Hannigan
   D David Boreanaz

4. Selon la tradition, lequel de ces objets n'est pas mortel pour un vampire ?
   A Des roses sauvages
   B Un pieu en bois
   C De l'ail
   D Une balle en argent

5. Qui a obtenu son premier job d'acteur dans un spot publicitaire pour Clearasil ?
   A David Boreanaz
   B Charisma Carpenter
   C Sarah Michelle Gellar
   D Alyson Hannigan

Réponses

1. C 2. D 3. D 4. D 5. A

Episode :

« Moloch »

Le résumé

Tout le monde a besoin d'un peu de romance ; Buffy ne devrait donc avoir aucune objection contre le nouveau petit copain de Willow, pas vrai ? Sauf que personne ne l'a jamais vu, pas même son amie ! Et qu'il sait sur Buffy des choses strictement confidentielles. Et qu'un des camarades de classe des jeunes filles vient d'être retrouvé pendu dans la salle d'informatique. Et qu'un démon nommé Moloch vient de s'échapper d'un des livres de Giles pour se réfugier sur Internet... Euh, ça fait quand même un peu beaucoup, non ?

La version fouillée

Hors du chaudron et droit sur Internet

RUPERT : Vous êtes... une sorcière ?
JENNY : Non, je n'ai pas ce genre de pouvoir. Je suis une technopaïenne.

La sorcellerie revient de loin depuis que les personnages de Shakespeare ont entonné leur fameux monologue du « bous et bouillonne » au milieu d'une lande écossaise. Le bon Barde ne reconnaîtrait sans doute pas une sorcière en Jenny Calendar, professeur d'informatique et jeune femme bien dans ses baskets.

La chasse aux sorcières a pris fin au XVIIIe siècle. En 1951, l'Angleterre a révoqué ses lois oppressives sur la sorcellerie. Dans les années 90, Internet a commencé à s'infiltrer dans tous les

Qui fait quoi ?

Numéro de production de l'épisode :
(Titre original : *I, Robot ; You, Jane*) 4V08
Date de première diffusion aux USA :
28 avril 1997
Scénaristes :
Ashley Gable et Thomas A. Swyden
Réalisateur :
Stephen Posey

Distribution

Buffy Summers	Sarah Michelle Gellar
Alexandre Harris	Nicholas Brendon
Willow Rosenberg	Alyson Hannigan
Rupert Giles	Anthony Stewart Head

Invités

Jenny Calendar	Robia La Morte
Dave	Chad Lindberg
Fritz	Jamison Ryan
Thelonius	Pierrino Mascarino
Infirmière	Edith Fields
Etudiant	Damon Sharp
Voix de Moloch	Mark Deakins

foyers. Pour la première fois, des individus isolés s'intéressant aux pratiques occultes plutôt qu'aux religions et aux styles de vie traditionnels disposèrent d'un forum pour partager leurs idées. C'est ainsi que naquit le mouvement technopaïen.

De la même façon que les chrétiens

Les enseignements de Buffy

† Même à Sunnydale, on n'est pas en sécurité sous la douche.

† La télévision est une boîte à idioties... contrairement à l'ordinateur.

† Règle du lycée n° 1 : Pas de secrets entre filles ayant déjà échangé leurs vêtements.

† N'utilisez jamais de références à la culture pop avec un homme qui « épluche » des documents.

† Si vos amis et vous avez l'habitude de sortir avec des vampires, des mantes religieuses géantes et des ordinateurs possédés, vous devriez envisager le célibat.

jugent la sorcellerie (définie comme une tentative d'altérer son environnement par la seule force de la volonté) trop « New Age », beaucoup de païens estiment que jouer avec la technologie n'est pas nécessaire pour satisfaire leurs désirs ou leurs besoins.

Considérant la sorcellerie comme une religion primitive, certains ne voient dans les ordinateurs qu'un instrument qui les éloigne encore davantage des forces de la nature dont ils s'efforcent de se rapprocher. L'idée de s'asseoir sous une lumière artificielle, devant une boîte électronique qui bipe, ronronne et dégage sûrement des radiations, sans le moindre contact humain direct, leur répugne profondément.

Mais beaucoup d'autres païens sont attirés par les possibilités qu'ouvrent les ordinateurs. Certains deviennent opérateurs-systèmes, auteurs de pages web, ingénieurs ou programmeurs. « Tout est dans la tête », affirme Clare Bonn, technopaïenne depuis sept ans, dont le travail de cadre au sein d'une grande entreprise canadienne l'oblige à passer de longues heures sur Internet.

« Pour moi, une majorité de pratiques magiques passent par la méditation et la visualisation. Quand j'invoque un cercle protecteur, celui-ci est aussi réel dans mon esprit que dans les plans métaphysiques. Les ordinateurs fonctionnent de la même façon. Il faut « voir » ce qui se passe à l'intérieur, être capable de penser d'une certaine façon.

Les sorcières donnent à ce processus spirituel le nom de « sort » ; les techno-païens le retrouvent dans les programmes informatiques. Peu m'importe de tracer un cercle sur le sol ou de le dessiner sur mon écran, parce que le véritable travail s'accomplit dans mon esprit et dans mon âme. Le reste n'est que symbolisme. »

L'espace de travail magique de Jenny Calendar, le cercle spirituel conçu pour capturer Moloch le Corrupteur, fonctionnait selon le même principe : la jeune femme n'avait-elle pas entouré son terminal de vraies bougies en cire d'abeille que n'auraient pas reniées les sorcières traditionnelles ?

Thérèse Thibideau, une des amies de Clare, a vu un nouveau monde s'ouvrir à elle quand Internet est arrivé dans sa petite communauté des Territoires du Nord-Ouest. « Je sais qu'il existe des milliers de pratiquants solitaires, qui préfèrent travailler dans leur coin. Mais je n'en fais pas partie. Or, trouver un autre païen, et plus encore qui adhère à la même tradition que moi, était impossible dans mon village de cinq cents habitants. »

L'isolement a poussé beaucoup de païens et de sorcières à se tourner vers la communauté « en ligne », différente mais bien plus vaste. « Il était si satisfaisant de participer de nouveau à des célébrations de groupe, de se sentir reliée aux autres... » Pour le moment, le cercle de Thérèse inclut des gens qui vivent à Prague, à York, à Bruxelles, dans une petite ville de Nouvelle-Zélande et même... à Sunnydale, en Californie.

Cela dit, les pratiquants qui résident

au sein de communautés plus vastes n'hésitent pas eux non plus à se brancher sur Internet. Claude Bellenger, originaire de Montréal et appartenant déjà à un chapitre très soudé, invoque une raison très différente de mélanger sorcellerie et technologie. « L'émergence d'un forum de libre expression est encore toute récente. Sur Internet, nous pouvons éduquer un public qui ne connaît des païens que les récits à sensations circulant à l'époque d'Halloween. Pour une raison qui m'échappe, les groupes de presse préfèrent ignorer les sorcières qui ne chevauchent pas un balai, les païens qui ne peignent pas leurs fenêtres en noir, et tous les gens normaux qui se contentent de suivre un chemin religieux différent. »

Claude sait qu'il faut du temps et de la patience pour faire évoluer les mentalités, ce qui explique sans doute le calme avec lequel il a accueilli la fermeture de sa page web après qu'un autre abonné se fût plaint qu'il promouvait « le satanisme et la violence ». « Le serveur m'a sanctionné sans même savoir de quoi je parlais. J'ai déposé une réclamation, et ces gens se sont aperçus que j'avais une démarche positive, s'appuyant sur des faits historiques étayés, et que je prônais la co-existence pacifique des différences religieuses. Ma page est revenue, avec une excuse du serveur pour son indisponibilité temporaire. Il est toujours frustrant de se heurter aux préjugés et à l'ignorance, mais au bout du compte, ma page a atteint son but, qui était d'éduquer ses visiteurs. »

L'aviez-vous remarqué ?

Les fichiers qu'ouvre Moloch dans le cadre de sa quête pour se débarrasser de Buffy contiennent des informations fascinantes bien que contradictoires. La date de naissance de la jeune fille, qui avait été mentionnée comme étant le 24 octobre 1980, devient ici le 6 mai 1979. Au lieu d'être en terminale, comme dans le film, elle est retombée en seconde ! Et avec la moyenne qu'elle a, elle pourrait rester dans cette classe jusqu'à ce que Willow et même Alex obtiennent leur bac !

Si les néo-païens ont crié au scandale après l'épisode « Sortilèges », affirmant que *Buffy contre les Vampires* tombait dans les stéréotypes les plus flagrants, « Moloch » a réussi le même exploit que la page de Claude Bellenger : celui d'éduquer les spectateurs. « Bien que je n'aie jamais personnellement banni un démon d'Internet, affirme-t-il, le portrait de Jenny Calendar m'a semblé excellent ! C'est un personnage fabuleux, qui marquera les esprits bien davantage que celui d'Amy : trop manichéen. »

Même les païens qui se considèrent comme des artistes plutôt que comme des techniciens vont parfois surfer sur Internet. Gail Peitsch, dont les œuvres ornent des dizaines de bâtiments publics au Canada et en Angleterre, n'aurait jamais cru trouver un usage à l'ordinateur acquis par son mari. Grâce à ses programmes de dessin et à son imprimante couleur, elle a pu en quelques jours réaliser son premier projet en trois dimensions. « Lever de Lune » s'est vendu près de 250 000 dollars quand un propriétaire de galerie, impressionné par la démarche de Gail, a décidé de le mettre aux enchères sur Internet.

« J'avais entendu parler des forums de discussion. Je n'étais pas complètement ignorante, mais je ne me doutais pas qu'ils étaient fréquentés par des gens tout à fait normaux. Dans la plupart des films, on les représente comme des endroits où aiment rôder les maniaques sexuels. D'après ma propre expérience, la réalité est tout autre. »

« Ça faisait longtemps que je n'avais pas participé à un grand rassemblement artistique ou païen, et il était rafraîchissant de voir des gens venus d'horizons si différents se passionner pour leur intérêt commun », s'enthousiasme Gail. « Mon seul problème, c'est que je ne me satisfaisais pas de voir simplement des mots défiler sur l'écran. La première fois que j'ai assisté à une célébration païenne en ligne, je me suis dit : *Ce serait encore plus chouette avec de beaux dessins pour illustrer le fond.* »

L'idée de Gail (qui n'est pas sans rappeler le cercle de Jenny dans « Moloch ») consistait à créer un environnement informatique susceptible d'être manipulé par un grand nombre de participants. Le premier forum qu'elle ouvrit reflétait son intérêt pour le paganisme, et incluait tous les ingrédients nécessaires à célébrer sa propre tradition. Tout participant pouvait manipuler les objets montrés à l'écran. « Nous étions physiquement séparés, mais capables de travailler ensemble à un but commun. »

Depuis, le développement du forum a été confié à des programmeurs expérimentés que la sophistication du travail de Gail a surpris. « C'est l'interface la plus conviviale que nous ayons jamais vue : simple, élégante, facile d'utilisation. Que pourrions-nous réclamer d'autre ? » demande Alex Balwin de Creativity Labs.

Ceux qui se considèrent comme des technopaïens pratiquants applaudissent le travail de Gail. « Nous mélangeons différentes philosophies depuis des siècles ; pourquoi pas ces deux-là ? » souligne Claude Bellenger. « Le cyberespace fonctionne comme l'esprit humain. Il forme des connections en réponse à un besoin, s'adapte en fonction des nouvelles informations qu'on lui transmet, et reconnaît les lacunes de celles qu'il possède déjà. Nous espérons, à terme, créer un environnement qui combinera magie et technologie en reconnaissant l'égale valeur des deux. »

Quant à Jenny Calendar, elle n'en demande pas tant. Si seulement Rupert savait distinguer une télévision d'un moniteur…

Quizz de l'apprentie tueuse

Questions

1. Quel acteur de *Buffy contre les Vampires* a fait du tae kwon do pendant cinq ans ?
   - A Alyson Hannigan
   - B Charisma Carpenter
   - C Sarah Michelle Gellar
   - D Robia La Morte

2. Qui n'est pas un démon historique ?
   - A Baal
   - B Angélus
   - C Moloch
   - D Astaroth

3. Quel acteur a interprété un robot dans un épisode de *Buffy contre les Vampires* ?
   - A James Marsters
   - B Anthony Stewart Head
   - C Donald Sutherland
   - D John Ritter

4. Quelle est la couleur de cheveux naturelle de Sarah Michelle Gellar ?
   A Blonde
   B Brune
   C Rousse
   D Noire

5. Quelle actrice de *Buffy contre les Vampires* interprète Lucy dans *Dead Man on Campus* ?
   A Sarah Michelle Gellar
   B Alyson Hannigan
   C Charisma Carpenter
   D Robia La Morte

Réponses

1. C 2. B 3. D 4. B 5. B

Episode :

« La Marionnette »

Le résumé

Tandis que les lycéens de Sunnydale se préparent à distraire un auditoire de parents et de professeurs blasés au cours du sempiternel spectacle scolaire, Buffy jongle entre son monologue d'une ligne dans *Œdipe-Roi* et la quête d'un voleur d'organes qui s'en prend à ses camarades. Le fait qu'un surprenant chasseur de démons la confonde avec ses proies ne facilite pas le développement de sa carrière pourtant prometteuse dans le show business !

La version fouillée

La chasse aux démons

Les démons détiennent un record de longévité dans la catégorie des créatures effrayantes. Ils sont partout. Même le Buffyvers les incorpore à sa mythologie en faisant d'eux la seule cause du vampirisme. Sans démons, il n'y aurait pas de morts-vivants à embrocher, pas d'étranges entités pour posséder la petite amie de Giles, et Angel aurait été enterré en Irlande voici deux siècles.

Les démons existent dans la théologie judaïque, les écritures chrétiennes, les textes islamiques, les récits folkloriques hindous... Disons que la liste des religions qui n'incluent pas leur description est beaucoup plus courte que celles qui la mentionnent.

Bizarrement, si on considère la quantité de démons qui ont envahi la mythologie et les légendes, il est très rare que soit suggéré un moyen de les détruire.

Qui fait quoi ?

Numéro de production de l'épisode :
(Titre original : *The Puppet Show*) 4V09
Date de première diffusion aux USA : 5 mai 1997
Scénaristes :
Rob Des Hotel et Dean Batali
Réalisateur :
Ellen Pressman

Distribution

Buffy Summers	Sarah Michelle Gellar
Alexandre Harris	Nicholas Brendon
Willow Rosenberg	Alyson Hannigan
Cordélia Chase	Charisma Carpenter
Rupert Giles	Anthony Stewart Head

Invités

Joyce Summers	Kristine Sutherland
Morgan	Richard Werner
Marc	Burke Roberts
Proviseur Snyder	Armin Shimerman
Mme Jackson	Lenora May
Elliot	Chasen Hampton
Lisa	Natasha Pearce
Voix de Sid	Tom Wyner
Emily	Krissy Carlson
Fille du Vestiaire	Michelle Miracle

Les vampires traditionnels ont leurs faiblesses intrinsèques tels que l'ail, le soleil et l'eau bénite. Les loups-garous sont allergiques aux balles en argent et à l'aconit tue-chien ; les leprechauns, aux versets de la Bible et aux pattes de corbeau. Même les magiciens ne supportent pas l'eau courante. Mais les démons ne sont vulnérables qu'à trois méthodes de destruction complète et irrévocable. Dommage que ni Sid la marionnette ni Buffy n'aient lu *Le Manuel du Chasseur de Démons* : ça leur aurait grandement facilité le travail.

La plupart des démons étant intangibles, il faut éliminer d'entrée les armes favorites de Buffy : embrocher frénétiquement l'un d'eux ne réussira qu'à vous donner des crampes dans le bras. La décapitation pose des problèmes similaires, de même que l'aspersion avec de l'eau bénite. Contrairement aux chasseurs de vampires et de loups-garous, les chasseurs de démons peuvent voyager léger, oubliant à la maison les croix, les pieux et les balles en argent. Si leur proie ne les dévore pas tout crus, ils n'auront qu'à faire appel aux sorts et aux incantations péniblement mémorisés, et peut-être pourront-ils utiliser un peu d'encens et un bout de craie. Détenir une liste de noms de démons ne peut pas faire de mal non plus ; nous y reviendrons plus tard.

Bien que ceux du Buffyvers tendent à s'incarner dans des corps, sinon vivants, du moins matériels, les démons traditionnels se manifestent plutôt sous la forme d'ouragans, de tourbillons de fumée, de brasiers infernaux voire de tempêtes de flammes s'ils sont vraiment très en colère. Mais la possession démoniaque n'est pas l'apanage de Sunnydale ; ce qui fonctionne sur les démons désincarnés donne aussi des résultats sur les voleurs de corps.

Bien que le terme de « démon » ait autrefois désigné les rois infidèles entourant les communautés judaïques, il évoque aujourd'hui une sorte d'anti-ange. La guerre dans les cieux, que l'archange Michel est censé avoir rem-

Les enseignements de Buffy

† Parfois, il y a réellement quelque chose sous votre lit !

† Ne vous tenez jamais sous un lustre quand vous combattez un démon ou une marionnette.

† N'aidez jamais un démon à tester son matériel sur vous.

† Entre quelques heures de colle et une apparition forcée dans le spectacle du lycée, choisissez les heures de colle.

† Fumer peut vous donner le cancer des poumons, mais être un proviseur trop libéral risque de vous faire finir dans l'estomac de lycéens cannibales !

† Le meilleur moyen de soutenir votre enfant consiste à vous tenir à l'écart de son lycée, surtout les soirs de spectacle ou de réunion parents-professeurs.

† Si des démons rôdent dans votre lycée pour voler le cerveau d'étudiants brillants, une moyenne catastrophique devient soudain un atout de poids.

portée après la chute de Lucifer, a structuré le concept de démons et établi leur antagonisme avec les anges. Tandis que ceux-ci portent des titres obscurs tels que « puissance », « principauté », « trône », « chérubin » ou « séraphin », leurs contreparties déchues ont opté pour des appellations beaucoup plus humaines : « roi », « prince », « baron » ou « comte ».

Le premier pas vers la destruction d'un démon consiste à déterminer à qui on a affaire. Si tous les chasseurs qui ont précédé Sid avaient bien fait leur boulot, la marionnette et la Tueuse n'auraient eu qu'à appeler le dernier des Sept par son titre et par son nom pour l'empêcher de poursuivre sa dégoûtante collecte d'organes.

L'utilisation du nom garantit une expulsion définitive, mais la simple invocation de son titre, suivie par celle d'un démon de plus haut rang, force la créature à quitter temporairement le corps de sa victime. Alors, il ne reste plus qu'à lire un passage des Saintes Ecritures et à entonner un cantique pour la renvoyer en Enfer. Mais étant une marionnette, Sid aurait peut-être eu du mal à prononcer des noms tels que Kasdeya, Belphégor ou Amduscias — pas facile quand on a une mâchoire en bois !

Si Sid et Buffy avaient simplement voulu éloigner le dernier des Sept de Sunnydale, ils n'auraient pas eu besoin de connaître son nom. Comme les malheureux incapables de résister à du chocolat, bien qu'ils sachent le mal que ça peut leur faire, les démons sont attirés par les choses qui leur sont le plus nuisibles. Les phrases extraites de la Bible ou du Talmud, semées comme des miettes de pain les conduiront à suivre le chemin tracé en dévorant les bouts de papier, avec l'espoir ultime de trouver le livre sacré au bout de la piste et de le détruire une bonne fois pour toutes.

Pour les empêcher de revenir, il faut avoir les talents qui ont rendu notre Tueuse célèbre. Aucun démon ne revient volontairement sur un lieu où est mort l'un des siens (ceci inclut les vampires dans le Buffyvers). Or, à l'exception d'Angel, Buffy n'éprouve aucun scrupule à réduire les mort-vivants en cendres.

Les chasseurs qui souhaitent se débarrasser définitivement d'un démon doivent dissoudre son esprit en procédant à une petite cérémonie. Ils commencent par attirer son attention en appelant son nom et en lui donnant son

L'aviez-vous remarqué ?

Dommage de gâcher une scène aussi émouvante, mais... Quand le pauvre Sid se sacrifie pour arrêter le dernier démon de la Fraternité des Sept, observez le couteau qui dépasse de la poitrine de sa victime. Dans la scène suivante, où Buffy ramasse la marionnette désormais inerte, il a disparu.

•

Dans une scène où Willow travaille sur son ordinateur, on l'entend continuer à taper sur le clavier bien après qu'elle en eut ôté ses mains. Quelques secondes plus tard, alors qu'elle s'est remise au boulot, l'écran reste désespérément vide alors qu'il est censé être relié à l'unité centrale !

titre, puis en l'éjectant du corps de son hôte ou en l'entraînant dans un endroit prévu à cet effet. Ensuite, ils le maîtrisent en entonnant un texte sacré, qu'ils doivent psalmodier sans interruption. Le démon une fois entré en transe, ils l'aspergent d'eau salée pour le rendre vulnérable sur un plan métaphysique. Il ne leur reste plus qu'à le frapper avec un couteau sacré pour pulvériser son âme. Beaucoup moins salissant que la scène dramatique proposée au public de Sunnydale !

Buffy ferait bien d'en prendre note pour la prochaine fois où elle devra affronter un démon... car nous savons tous que ça finira par arriver.

Quizz de l'apprentie tueuse

Questions

1. Qui est né à Camden Town, en Angleterre ?
   A Anthony Stewart Head
   B James Marsters
   C Juliet Landau
   D Julie Benz

2. Lequel des films suivants ne montrait pas de poupée animée ?
   A *Jeu d'Enfant*
   B *The Puppet Master*
   C *Leprechaun*
   D *Cat's Eye*

3. Qui jouait à la fois dans *Deep Space Nine* et dans *Buffy contre les Vampires* ?
   A David Boreanaz
   B Armin Shimerman
   C Anthony Stewart Head
   D Seth Green

4. Lequel de ces acteurs a été mis sur la voie du succès par une apparition dans le spectacle de son école, à l'âge de six ans ?
   A David Boreanaz
   B Armin Shimerman
   C Anthony Stewart Head
   D Seth Green

5. Quelle actrice de *Buffy contre les Vampires* a été pom-pom girl pour l'équipe des San Diego Chargers ?
   A Alyson Hannigan
   B Robia La Morte
   C Sarah Michelle Gellar
   D Charisma Carpenter

Réponses

1. A 2. C 3. B 4. D 5. D

Episode :

« Billy »

Le résumé

La réalité bascule dans la quatrième dimension quand les cauchemars des habitants prennent vie à Sunnydale. Le Maître est toujours prisonnier de son antre, mais son esprit vagabonde en liberté, tout comme la projection astrale d'un jeune garçon comateux qui devient très vite la seule constante dans le monde devenu fou de Buffy. Le seul moyen de rétablir la réalité consiste sans doute à trouver un moyen de faire émerger Billy de son inconscience ; mais comment Buffy peut-elle y arriver si son propre cauchemar — devenir un vampire — se réalise aussi ?

La version fouillée

Je vous espionne dans votre sommeil

Au premier abord, « Billy » n'est qu'un épisode comme les autres de *Buffy contre les Vampires*, avec ses monstres dans le placard et ses Princes de la Nuit qui ont le chic pour surgir au moment le moins opportun. En réalité, il a un statut unique parmi tous ceux des deux premières saisons. Au lieu de mettre en scène une situation apparemment normale qui se révèle avoir des origines surnaturelles, il présente une situation paranormale prenant sa source dans une forme de terreur bien trop humaine. Cette fois, pas question de professeur qui se mue en insecte géant, de représentant en produits de beauté qui se transforme en insectes minuscules ou de lycéens qui se changent en

Qui fait quoi ?

Numéro de production de l'épisode :
(Titre original : *Nightmares*) 4V10
Date de première diffusion aux USA : 12 mai 1997
Scénariste : Joss Whedon
Réalisateur : Bruce Seth Green

Distribution

Buffy Summers	Sarah Michelle Gellar
Alexandre Harris	Nicholas Brendon
Willow Rosenberg	Alyson Hannigan
Rupert Giles	Anthony Stewart Head

Invités

Le Maître	Mark Metcalf
Joyce Summers	Kristine Sutherland
Billy Palmer	Jeremy Foley
Colin	Andrew J. Ferchland
Hank Summers	Dean Butler
Wendell	Justin Ulrich
Laura	J. Robin Miller
Mlle Tishler	Terry Cain
Aldo Gianfranco	Scott Harlan
Entraîneur	Brian Pietro
Type Cool	Johnny Green
Mère du Type Cool	Patty Ross
Docteur	Dom Magwill
Manager	Sean Moran

hyènes : le méchant de « Billy » n'est qu'un simple entraîneur de base-ball !

Dans une communauté dont la plus grande attraction touristique semble être la Bouche de l'Enfer, on s'attendrait à ce que les phobies des habitants soient pour le moins exotiques. Mais Willow ne redoute que de monter sur scène, et Alex est hanté par sa rencontre avec un clown, lorsqu'il était enfant. Même Buffy ne craint pas tant les vampires que de perdre son humanité. Et quand les terreurs de Billy Palmer s'expriment enfin, l'élément paranormal de rigueur est profondément ancré dans sa psyché.

Dans le monde réel, une personne sur vingt affirme avoir vécu une expérience paranormale au cours de laquelle elle est sortie de son corps. Les gens qui ont frôlé la mort racontent souvent avoir vu un long tunnel obscur suivi par une vive lumière, et ouvrant sur une sorte d'Eden.

L'Hôpital du Mont Sinaï enregistre une ou deux déclarations de ce type par mois. Le chapelain du Mémorial Luthérien se souvient d'une semaine particulièrement agitée où il dut répéter douze fois son fameux discours du : « Soit vous croyez à la vie après la mort, soit vous considérez cette expérience comme une succession rapide d'images produites par un cerveau en état de stress... »

Le père Rowney, un des quatre chapelains officiant au Greater Islands Health Sciences Center, passe entre vingt-cinq et trente heures par mois à aider des patients désireux de surmonter une expérience : « qui selon eux défie toutes les lois du monde physique. Même si Billy Palmer est un personnage fictif, il s'appuie sur des éléments concrets, observables dans le monde réel. »

« Un choc l'a poussé à dissocier son esprit de son corps. Il surmonte cette épreuve et en tire une nouvelle force, une volonté d'affronter ses problèmes plutôt que de les fuir. Ses excursions métaphysiques sont centrées autour d'un personnage-clé de sa vie. En d'autres termes, bien qu'aucun de nos patients ne soit jamais réapparu en traînant un ogre à sa suite, le scénario de

« Billy » me semble crédible. La série *Buffy contre les Vampires* joue sur la frontière très mince qui sépare ce que nous savons de ce que nous craignons. »

Bien sûr, tous les patients n'ont pas droit à ce que le père Rowney appelle en plaisantant « le grand jeu ». « Beaucoup témoignent d'une sorte de déplacement de la conscience, cette sensation de flotter au-dessus de son lit et de regarder les infirmières s'affairer autour de leur corps. Grâce aux moniteurs de contrôle, nous savons que les gens qui vivent ce type d'expérience sont techniquement inconscients. Récemment, une femme est arrivée aux urgences avec un traumatisme crânien si grave que nous la croyions condamnée. Le personnel lui a prodigué tous les soins nécessaires, et comme elle portait autour du cou une médaille catholique, on est venu me chercher pour que je lui administre les derniers sacrements. »

« Quand je suis arrivé, elle avait fait un arrêt cardiaque et respiratoire ; sa tension et ses ondes cérébrales étaient presque indétectables. Si le personnel n'avait pas su que je venais, il aurait coupé les machines de soutien biologique. »

« J'aimerais croire que c'est mon arrivée qui a produit l'étincelle, mais honnêtement, les miracles sont plus souvent dispensés par les mains de nos chirurgiens que par les miennes. (Le père Rowley part d'un gloussement irrévérencieux.) La femme n'a pas repris connaissance pendant mon bref passage à son

Les enseignements de Buffy

† Il ne faut pas cultiver la peur des clowns : elle risque de provoquer d'importants problèmes psychologiques, et de vous faire mal à la main quand vous flanquerez un coup de poing à l'un d'eux.

† Vous êtes amoureux à coup sûr si le centre de votre univers se met à ressembler à votre pire cauchemar, et que vous avez quand même envie de sortir avec l'objet de votre flamme.

† Fumer au lycée, ça ne vaut pas le coup !

chevet, mais son cœur s'est remis à battre et ses poumons à fonctionner. »

« Une semaine durant, elle est restée inconsciente en réanimation. Seuls son mari, sa fille et son confesseur étaient autorisés à lui rendre visite. Elle n'a pas pu entendre parler de ma venue. Mais le jour où elle a repris connaissance et où

L'aviez-vous remarqué ?

Willow entrepose un tas de choses intéressantes au fond de son vestiaire ! Dans l'épisode précédent, c'était une photo de notre bibliothécaire préféré. Cette semaine, c'est un autocollant de Nerf Herder, le groupe qui a composé le générique de la série.

•

D'accord, c'était une séquence-cauchemar... Mais comment Buffy la vampire s'est-elle rendue à l'hôpital ? Après tout, il faisait jour dans l'étrange cimetière qui défiait toutes les lois de la physique.

•

Toujours prévoyante, Willow doit acheter ses sacs à dos en double. Dans cet épisode, on la voit prendre deux fois le même, sans l'avoir reposé entre-temps.

je suis allé la voir, elle m'a aussitôt identifié. Elle m'a raconté en détail tout ce qui s'était passé pendant que je me trouvais à son chevet. Même moi, j'en ai été troublé. Je n'ose imaginer dans quel état de stupéfaction cette femme devait être ! »

Pour cet épisode, les scénaristes de Buffy ont évoqué ce qui est peut-être un des derniers mystères humains. Les cas comme celui rapporté par le père Rowley ne font jamais la première page des journaux, tout simplement à cause de leur fréquence et de leur similitude. Ils n'ont rien de sensationnel !

Donna Rich, Coordinatrice des Etudes de l'Ecole d'Infirmières de Brightham, a même inclus dans le cursus de ses élèves les instructions permettant de faire face à de telles situations. « De la même façon que nous leur enseignons la réponse appropriée en cas de décès, selon la culture religieuse du patient — par exemple, certains rituels judaïques requièrent la présence de la famille avant la réalisation de l'examen post mortem —, nous leur apprenons à réagir à toutes ces expériences métaphysiques et les encourageons à en parler avec le patient s'il le désire. Nous insistons également sur le fait que les malades inconscients perçoivent beaucoup plus de choses qu'on ne pourrait le croire. »

« Certains patients vivent leur expérience de coma dépassé comme une révélation religieuse ; dans ce cas, nous respectons leur vision de la chose et faisons appeler un chapelain. S'ils sont effrayés et réclament une explication plus scientifique, nous leur exposons les conditions médicales pouvant expliquer ce qu'ils ont vécu. Par exemple, la lumière au bout du tunnel peut être provoquée par un manque d'oxygénation du cerveau. Les plongeurs rapportent parfois des expériences similaires quand leurs bouteilles ne sont pas parfaitement propres. »

« D'autres patients considèrent cette projection astrale comme un événement psychique et veulent savoir s'ils pourront la revivre. Ils l'assimilent à une sorte de grand huit mental et savourent la libération d'endorphines ainsi provoquée. Sans vouloir minimiser l'impact d'une telle expérience, je dirais que les réactions varient en fonction des gens, et vont de la frayeur à l'euphorie. D'une certaine façon, peu importe que ce qu'ils ont vécu ait été réel ou non : les effets, eux, le sont. »

L'expérience métaphysique présentée dans « Billy » est sans doute la plus rare de toutes. Il s'agit d'une combinaison de deux types de phénomènes psychiques indépendants. Le premier, la projection, est assez fréquent chez les malades dans un état grave. C'est le second, l'apparition (un second individu capable d'observer la projection) qui nous donne vraiment la chair de poule. Mais lui aussi prend sa source dans des événements réels.

Joanne Hart, de Londres, est tombée du troisième étage de sa maison un matin à 9h35. Elle a entendu l'horloge sonner la demie juste avant de trébucher sur les patins à roulettes que son fils Jeremy avait laissés dans le couloir. Elle est restée inconsciente pendant plus de trente minutes. Durant ce laps de temps, sa cousine Didi Ford, qui habite de l'autre côté de la ville, a vu Joanne tomber, l'a vue recroquevillée sur le tapis du cabinet médical où elle travaille, et a vu du sang couler au coin de sa bouche.

Trois ans plus tard, Didi secoue encore la tête quand elle parle du drame qui a bien failli convaincre son employeur qu'il avait engagé une folle. « Je lui ai demandé de venir tout de suite, parce qu'il y avait quelqu'un de blessé, et je me suis levée de mon bureau pour voir si je pouvais faire quelque chose. Tout s'était passé si vite ; j'ai cru qu'une patiente était entrée pendant que j'avais le dos tourné et qu'elle s'était évanouie. Puis j'ai réalisé que c'était Joanne, et qu'elle n'avait aucune raison de se trouver là. »

Visiblement embarrassée, Didi poursuit son récit. « J'ai réalisé ce qui se passait quand elle a... disparu. Je me suis retrouvée accroupie sur le tapis devant mon bureau, sous le regard éberlué de mon patron et de deux de ses clients. »

Elle aurait voulu oublier cet incident, mais dès qu'elle se retrouva seule, elle appela sa cousine. Il était alors 10 h 25. N'obtenant pas de réponse, elle fit le numéro du mari de Joanne à son bureau. Ce dernier savait que son épouse devait rester à la maison ce matin-là. Il essaya également de la joindre, sans plus de résultat. Alors, il appela leur voisine et lui demanda d'aller voir ce qui se passait. Selon le SAMU, la voisine réclama une ambulance à 10 h 42.

Quand Joanne reprit connaissance le soir de l'accident, la première chose qu'elle demanda fut de voir Didi.

Quizz de l'apprentie tueuse

Questions

1. Dans lequel des films suivants n'y avait-il pas de vampire ?
   A *Nightmare Castle*
   B *Les Griffes de la Nuit*
   C *Nightmare in Blood*
   D *Nightmare Lake*

2. Lequel des méchants suivants n'agit pas pendant le sommeil de ses victimes ?
   A Mara
   B Sorcière
   C Incube
   D Goule

3. Quel acteur de *Buffy contre les Vampires* n'est pas encore apparu à l'écran sans ses vêtements habituels ?
   A Sarah Michelle Gellar
   B Seth Green
   C Alyson Hannigan
   D Nicholas Brendon

4. Quel invité occasionnel de *Buffy contre les Vampires* est apparu dans le film gore de 1971 *Le Cirque des Vampires* ?
   - A James Marsters
   - B Ken Lerner
   - C Mark Metcalf
   - D Robin Sachs

5. Quels acteurs de *Buffy contre les Vampires* discutent des cheese-steaks de Philadelphie avec une grande expertise ?
   - A Anthony Stewart Head
   - B Nicholas Brendon
   - C David Boreanaz
   - D Seth Green

Réponses

1. B 2. D 3. C 4. D 5. C et D

Episode :

« Portée Disparue »

Le résumé

Une série d'accidents étranges sévit au lycée de Sunnydale. Angel excepté, il n'y a pourtant pas un seul vampire en vue ! D'abord, le petit ami de Cordélia se fait attaquer par une batte de base-ball, puis la meilleure amie de Cordélia est poussée dans l'escalier par une main invisible ; enfin, le professeur préféré de Cordélia est agressée par un sac en plastique flottant. Soupçonnant que Cordélia sera la prochaine victime, Buffy lui colle aux talons pendant que la jeune fille multiplie les essayages en vue du bal de la Reine de Mai.

La version fouillée

Faites place à la Reine de Mai !

Tous les adolescents vivent dans le présent. Pas étonnant, donc, que Cordélia veuille devenir la Reine de Mai sans se douter qu'en plus d'être le nom de la gagnante d'un concours de popularité et d'une jolie chanson, il s'agit également d'un titre donnée à la protagoniste d'un rituel séculaire. En fait, vu son opinion sur les couleurs de vernis à ongles vieilles d'une saison, Cordélia aurait sans doute boycotté l'élection si le mot « ancien » était apparu dans sa description !

Il semble peu probable qu'elle ait apprécié l'idée de se rouler dans l'herbe un 1er mai pour s'imprégner de rosée matinale... à moins qu'elle n'ait entendu dire que cette substance agissait comme

Qui fait quoi ?

Numéro de production de l'épisode :
(Titre original : *Invisible Girl* ou *Out of Sight, Out of Mind*) 4V11
Date de première diffusion aux USA : 19 mai 1997
Scénariste : Joss Whedon
Adaptation : Ashley Gable et Thomas A. Swyden
Réalisateur : Reza Badiyi

Distribution

Buffy Summers	Sarah Michelle Gellar
Alexandre Harris	Nicholas Brendon
Willow Rosenberg	Alyson Hannigan
Cordélia Chase	Charisma Carpenter
Rupert Giles	Anthony Stewart Head

Invités

Angel	David Boreanaz
Marcie Ross	Clea Duvall
Proviseur Snyder	Armin Shimerman
Mitch	Ryan Bittle
Mlle Miller	Denise Dowse
Copain N° 1	John Knight
Harmony	Mercedes McNab
Agent Doyle	Mark Phelan
Agent Manetti	Skip Stellrecht
Professeur du FBI	Julie Fulton

un élixir de jouvence. Si le calendrier des néo-païens est à jour, le 1er mai coïncide avec Beltane, un festival célébrant l'arrivée du printemps, la fertilité et le renouveau de la vie. Traditionnellement, les jeunes femmes sortaient avant le lever du soleil pour en capturer l'essence et conserver à jamais leur fraîcheur, l'insolence de leur buste, la minceur de leur taille et la fermeté de leur postérieur. Voilà qui pourrait plaire à Cordélia.

De même que l'idée d'avoir une série de

Les enseignements de Buffy

† Les dommages causés par une batte de base-ball sont difficiles à maquiller sur une photo de Roi de Mai.

† Si votre petit ami, votre prof préférée et votre meilleure amie affirment tous avoir été attaqués par un agresseur invisible, la paranoïa est une réaction acceptable.

† Il y a vraiment un boulot pour tout le monde, y compris pour les gens invisibles.

beaux jeunes gens prêts à satisfaire ses caprices pendant qu'elle aurait paradé en ville, vêtue de beaux atours et parée de fleurs... Dans le Yorkshire, les laitières se promenaient en lançant des commentaires suggestifs à leurs concitoyens mâles, et en relevant leurs jupes pour exposer leurs chevilles (voire davantage).

Ainsi, elles encourageaient les hommes à jeter des pièces en argent dans leur pot à lait... Un concours de beauté où la gagnante peut dépenser le scrutin ; voilà qui aurait ravi Cordélia !

Aimant les sièges en cuir et les placards à balais, la jeune fille aurait également apprécié le rôle traditionnel de la Reine de Mai consistant à bénir les champs. Faire l'amour sous un ciel étoilé parmi les premières fleurs du printemps n'est pas l'idéal romantique de toutes les adolescentes, mais c'est toujours mieux que de se peloter dans la voiture de papa avec le levier de vitesse qui vous rentre dans les côtes, ou dans un placard puant l'eau de Javel et la serpillière moisie !

Passer une soirée à se faire courtiser par l'équivalent historique du capitaine de l'équipe de football, être ensevelie sous les bonbons et les rubans, ouvrir le bal avec tous les regards rivés sur elle aurait également beaucoup plu à Cordélia, comme de se faire porter dans toute la ville sur les épaules des jeunes gens célibataires.

Le mauvais côté des choses, c'est que la Reine de Mai ne peut pas avoir de Roi. Au lieu de s'achever par un mariage de conte de fées, comme celui de Cendrillon, sa journée se termine par l'exécution de son amant, surnommé l'Homme Vert. La plus belle nuit de sa vie, pendant que les autres batifolaient dans les buissons, la Reine de Mai se retrouvait toute seule !

Selon la perspective païenne, la mort de l'Homme Vert lui permettait de revenir sous une nouvelle incarnation et d'assurer la fertilité des champs grâce au sang dont il les imbibait. Pour ceux qui adhéraient à ce courant de pensée, la vie et la mort étaient étroitement liées

L'aviez-vous remarqué ?

Qui ose prétendre qu'Angel est incapable de s'intégrer ? D'accord, il n'aspire pas à un boulot dans l'administration comme la plupart des gens, mais il ne manque pas de potentiel. Par exemple, sachant qu'il ne respire pas, la compagnie du gaz pourrait lui trouver un poste taillé sur mesure dans des canalisations où il ne verrait jamais la lumière du jour.

•

Encore une erreur de continuité. Vous voyez la pancarte à l'entrée du *Bronze* : « Fermé pour cause de fumigation » ? Nous avons assisté à la soirée de post-fumigation dans l'épisode précédent, et même un établissement aussi douteux ne devrait pas avoir à recommencer la chasse aux cafards toutes les semaines.

•

Soit les accessoiristes ont un sens de l'humour très développé, soit ils n'y connaissent rien en infiltration et en assassinat. Vous avez lu le texte du nouveau livre de cours de Marcie ? La plupart des paragraphes ne contiennent que des âneries, mais l'un d'eux est consacré au *Happiness is a Warm Gun* (*Le bonheur, c'est un flingue tout chaud*) des Beatles.

•

> Marcie se promenait-elle dans le lycée en tenue d'Eve ?
>
> •
>
> On dirait que les personnages n'arrivaient pas à se décider sur le menu de leur déjeuner pendant cet épisode. Observez leurs mains : les chips d'Alex se changent en sandwich, pendant que les frites de Buffy se transforment en soda.

aux cycles naturels — essentiellement agricoles — de la Terre.

La Danse du Poteau est une tradition qui existe encore dans certaines régions. Elle symbolise l'équilibre entre la vie et la mort, entre l'homme et la femme, central dans la philosophie païenne. Comme beaucoup de structures plus hautes que larges, le poteau constitue ce que Freud appellerait un symbole phallique, donc l'aspect masculin de la célébration. L'aspect féminin était fourni par les rubans que les danseurs s'enroulaient autour du corps pendant leurs évolutions.

La Reine de Mai représente une facette

de la Déesse. Cordélia serait flattée de le savoir... jusqu'à ce qu'on lui révèle qu'au fil de l'année, elle se change irréversiblement en vieille femme. Peut-être vaut-il mieux la laisser dans l'ignorance.

Quizz de l'apprentie tueuse

Questions

1. Lequel de ces titres de films est fictif ?
   A *L'Homme Invisible*
   B *La Femme Invisible*
   C *L'Agent Invisible*
   D *Le Chien Invisible*

2. Quelle actrice de *Buffy contre les Vampires* est née un 23 juillet ?
   A Alyson Hannigan
   B Charisma Carpenter
   C Sarah Michelle Gellar
   D Julie Benz

3. En quelle année le film *Buffy contre les Vampires* sortit-il sur les écrans ?
   A 1990
   B 1992
   C 1994
   D 1996

4. Traditionnellement, on peut devenir invisible en portant sur soi tous les objets suivants, sauf un. Lequel ?
   - A Le cœur d'une chauve-souris
   - B Une goutte de mercure
   - C Une grenouille
   - D La crête d'un coq noir

5. Quelle créature surnaturelle n'a pas la capacité de se rendre invisible ?
   - A Un fantôme
   - B Une sorcière
   - C Un vampire
   - D Un loup-garou

Réponses

1. D 2. B 3. B 4. B 5. D

Episode :

« Le Manuscrit »

Le résumé

Quand elle découvre ce que son Observateur s'efforçait désespérément de lui cacher — à savoir, que le Maître ne va pas tarder à se relever pour la tuer ! —, Buffy perd les pédales. Ce satané vampire n'aurait pas pu choisir un meilleur moment que celui du bal de fin d'année ? C'en est trop pour la Tueuse, qui rend son tablier à Giles. Mais celui-ci ne peut accepter sa démission. Quand ses camarades commencent à tomber comme des mouches, Buffy est obligée de se résigner à son sort et d'affronter sa Némésis.

La version fouillée

Les gentils

Bien qu'on puisse légitimement se demander de quel côté sont certains personnages — au hasard, le proviseur Snyder... —, les gentils sont ceux qui nous font battre le cœur semaine après semaine et nous attirent dans un univers qui, sans eux, aurait l'air grotesque.

Nicholas Brendon, la moitié réfléchie d'Alex Harris

Alex aurait pu n'être que le toutou de Buffy, une sorte de chiot un peu fou-fou avec le sens de l'auto-dérision et de l'humour. Mais les scénaristes et surtout son jeune interprète ont su en faire un personnage en trois dimensions capable d'émouvoir aussi bien que de faire rire.

Aussi difficile à croire que ça puisse

être, Nicholas et son frère jumeau Kelly sont nés le 12 avril 1971, soit dix ans plus tôt que le personnage d'Alex ! Mais l'âge n'a pas été un obstacle pour cet acteur doué, pas plus que sa participation à des séries télévisées ne l'a empêché de mélanger les genres en montant sur les planches.

La carrière de Nicholas Brendon

Spot publicitaire – Clearasil
Série TV – *Mariés, deux enfants* (1993) : un des types du gang de Ray-Ray
Série TV – *Dave's World* (1994)
Série TV – *Secret Lives* (1995)
Théâtre – *Les Nouvelles Aventures de Tom Sawyer*
Théâtre – *My Own Private Hollywood*
Théâtre – *Out of Gas on Lover's Leap*
Cinéma – *Children of the Corn III : Urban Harvest* (1994) : un joueur de basket

Meilleure réplique en tant qu'Alex

« Je ris au visage du danger. Puis je cours me cacher dans un trou. »

Alyson Hannigan la met en veilleuse pour jouer Willow Rosenberg

Si la carrière de Nicholas Brendon est assez récente, celle d'Alyson a commencé en 1979, quand elle n'avait encore que cinq ans. Comme vous pouvez le voir ci-contre, elle a interprété des rôles très variés (pour vous en convaincre, allez voir le tout récent *Dead Man on Campus*). Pourtant, il est difficile de dire laquelle de ses nombreuses qualités rend chacune de ses apparitions si mémorables.

Evidemment, elle a un petit nez adorable, de très beaux yeux et un sourire capable d'éclairer une mine de charbon, mais ce qui compte, c'est la façon dont elle utilise ses traits extraordinairement mobiles. Comme les actrices de l'âge d'or du cinéma, qui réalisaient que la caméra les fixait souvent en gros plan, Alyson Hannigan pourrait tourner tout un épisode de *Buffy contre les Vampires* avec un plâtre qui la couvrirait du cou jusqu'aux chevilles. Elle a un talent très rare, qui se développe au fil du temps.

La carrière d'Alyson Hannigan

Spot Publicitaire – Oreo Cookies
Spot Publicitaire – Parc d'Attraction Six Flags
Spot Publicitaire – McDonald's
Cinéma – *J'ai épousé une extraterrestre* (1988) : Jessie Mills
Série TV – *Roseanne* (1988) : une amie de Becky
Série TV – *Free Spirit* (1989) : Jessie Harper
Téléfilm – *Switched at Birth* (1991) : Gina Twigg entre 13 et 16 ans
Série TV – *Un Drôle de Shérif* (1992)
Téléfilm – *Almost Home* (1993) : Samantha
Téléfilm – *Les Anges du bonheur* (1994)
Téléfilm – *The Stranger Beside Me* (1995) : Dana
Cinéma – *Dead Man on Campus* (1998) : Lucy

Meilleure réplique en tant que Willow

« Je suis sans doute la seule fille du lycée qui surfe si souvent sur le site Internet de la morgue ! »

Charisma Carpenter nous charme dans le rôle de Cordélia Chase.

Difficile d'imaginer une héroïne plus improbable que cette vipère de Cordélia. Une fois de plus, Joss Whedon et ses scénaristes auraient pu tomber dans la facilité en faisant d'elle un stéréotype vivant, celui de la petit fille gâtée, capricieuse et superficielle. Mais les specta-

La carrière de Charisma Carpenter

Série TV – *Alerte à Malibu* (1989) : Wendie
Série TV – *Pacific Blue* (1995)
Josh Kirby... Time Warrior, chapitres 1 et 2 (1995) : Beth Sullivan
Série TV – *Malibu Shores* (1996) : Ashley Green

Avant ça, Charisma avait joué dans une vingtaine de spots publicitaires et fait partie de l'équipe des pom-pom girls des San Diego Chargers.

Meilleure réplique en tant que Cordélia

« J'ai entraînement ce soir. Si j'avais su que vous alliez déterrer des cadavres, je me serais libérée. »

teurs n'ont pas tardé à réaliser que Joss et Charisma avaient d'autres plans pour l'étudiante la plus en vue du lycée de Sunnydale !

A l'origine, Charisma Carpenter avait auditionné pour le rôle de Buffy. Bien que Sarah et elle soient toutes deux de grandes actrices, on ne peut s'empêcher de penser que les fans auraient beaucoup perdu si elles n'avaient pas chacune apporté leur contribution au personnage qui leur revint finalement. La mère de Charisma l'a peut-être baptisée du nom d'un parfum d'Avon « qui pue vraiment », mais dès le 23 juillet 1970, elle avait vu l'étincelle que sa fille apporterait plus tard à ses personnages.

Anthony Stewart Head nous fait tourner la tête dans le rôle de Rupert Giles

Même s'il se fait souvent taquiner à cause de son statut d'« ancien » parmi la jeune équipe de *Buffy contre les Vampires*, cet acteur de quarante-quatre ans séduit les femmes de tous âges. Au der-

La carrière d'Anthony Stewart Head aux USA

Feuilleton TV – *Lillie* (1978) : William Le Breton
Cinéma – *L'Amant de Lady Chatterley* (1981) : Anton
Série TV – *The Comic Strip Presents* (1982) : Ricki
Série TV – *Boon* (1986) : Rathbone
Cinéma – *A Prayer for the Dying* (1987) : Rupert
Série TV – *The Detectives* (1989) : Simon
Série TV – *Highlander* (1992)
Série TV – *New York Police Blues* (1993) : Nigel Gibson
Cinéma – *Royce* (1994) : Pitlock
Téléfilm – *Ghostbusters of East Finchley* (1995) : Terry
Série TV – *VR5* (1995) : Oliver Sampson
Téléfilm – *Jonathan Creek* (1997) : Adam Klaus
Spot Publicitaire – Taster's Choice, avec Sharon Maughan (1990-1997)

Meilleure réplique en tant que Rupert Giles

GILES : Un corps dérobé ? C'est très intéressant...
BUFFY : Vous avez voulu dire : c'est dégueulasse et immonde.
GILES : Oui, oui, oui, euh, certainement. On doit mettre un terme à ça, vraiment.

nier recensement, pas moins de vingt-six sites Internet étaient consacrés à cette « bombe sexuelle anglaise », comme le décrit l'un d'eux. C'est peut-être sa longue expérience qui lui permet de jouer sur autant de registres dans la série : bibliothécaire studieux et responsable, dragueur maladroit et bafouillant, Merlin des temps modernes qui annonce les catastrophes à venir ou Observateur à la face obscure capable de comprendre les dilemmes de l'adolescence.

Robia La Morte nous surprend dans le rôle de Jenny Calendar

Le terme de coïncidence ne suffit pas à expliquer l'heureux accident qui fit de Jenny Calendar un personnage récurrent de *Buffy contre les Vampires*, et nous donna une opportunité d'apprécier le talent débordant de Robia La Morte.

Au début, Robia ne voulait pas être actrice : elle avait commencé une brillante carrière de danseuse, qui l'avait notamment conduite à devenir Pearl au cours de la tournée *Diamonds and Pearls* de l'artiste anciennement connu sous le nom de Prince. Jenny Calendar ne devait faire qu'une brève apparition dans la série, et les fans se sentent privilégiés d'avoir suivi pendant deux saisons la belle et mystérieuse gitane. Même si son personnage a fourni le prétexte à des scènes très drôles et très émouvantes, ils ont du mal à pardonner sa fin tragique aux scénaristes.

La carrière de Robia La Morte

Série TV – *Beverly Hills* (1990)
Clip Vidéo – « Get Off » de Prince : Pearl
Cinéma – *Spawn* (1997) : une journaliste de XNN

Meilleure réplique en tant que Jenny Calendar

Il s'agit en fait d'un dialogue avec Anthony Stewart Head.

GILES : Je vais rester et mettre un peu d'ordre avant de retourner au Moyen Age.
JENNY : Retourner, vous dites ?

Qui fait quoi ?

Numéro de production de l'épisode :
(Titre original : *Prophecy Girl*) 4V12
Date de première diffusion aux USA :
2 juin 1997
Scénariste :
Joss Whedon
Réalisateur :
Joss Whedon

Distribution

Buffy Summers	Sarah Michelle Gellar
Alexandre Harris	Nicholas Brendon
Willow Rosenberg	Alyson Hannigan
Cordélia Chase	Charisma Carpenter
Rupert Giles	Anthony Stewart Head

Invités

Le Maître	Mark Metcalf
Angel	David Boreanaz
Joyce Summers	Kristine Sutherland
Jenny Calendar	Robia La Morte
Colin	Andrew J. Ferchland
Kevin	Scott Gurney

L'aviez-vous remarqué ?

Comment Giles s'est-il procuré le numéro de téléphone d'Angel ? Et comment Alex sait-il où se trouve son appartement ? Il est dans l'annuaire, ou quoi ? Si oui, sous quel nom ?

•

Qui a recoiffé Buffy pendant qu'elle se noyait dans les souterrains ? En regardant bien, vous verrez que ses cheveux sont relevés quand le Maître la lâche dans l'eau ; mais quand arrivent Angel et Alex, ils flottent librement, sans la moindre trace d'épingle !

•

Même en Californie, on ne peut pas imputer tous les malheurs aux tremblements de terre. Comment la bande à Buffy a-t-elle expliqué la présence d'un squelette dans la bibliothèque ?

•

Où peut-on bien cacher un pieu dans une robe de bal ?

Les enseignements de Buffy

† Ecouter aux portes, dans la bibliothèque de Sunnydale, ça ne donne rien de mieux qu'ailleurs.

† Si vous êtes destinée au sacrifice, autant vous vêtir joliment.

† Même les vampires devraient prendre soin de leur apparence : par exemple, en s'offrant une manucure.

† Comme le découvre un vampire dans cet épisode, il est presque aussi dangereux de se faire trimballer sur le toit de la voiture de Cordélia qu'à l'intérieur.

Quizz de l'apprentie tueuse

Questions

1. Quelle actrice s'est mise au kickboxing après avoir rejoint l'équipe de *Buffy contre les Vampires* ?
   A Charisma Carpenter
   B Alyson Hannigan
   C Sarah Michelle Gellar
   D Robia La Morte

2. Quel acteur de *Buffy contre les Vampires* doit sa popularité à un spot publicitaire pour une marque de café ?
   A David Boreanaz
   B Mark Metcalf
   C Anthony Stewart Head
   D Nicholas Brendon

3. De quel acteur de *Buffy contre les Vampires* le météorologue Dave Roberts de la chaîne WPVI est-il le père ?
   A Juliet Landau
   B David Boreanaz
   C James Marsters
   D Seth Green

4. Quelle figure historique n'était pas un prophète ?
   - A L'Oracle de Delphes
   - B Les Vestales
   - C Le prêtre de Ra à Memphis
   - D La Voix d'Apollon

5. Quel acteur de *Buffy contre les Vampires* a eu sa propre série dérivée à partir de l'automne 1999 ?
   - A David Boreanaz
   - B Anthony Stewart Head
   - C James Marsters
   - D Nicholas Brendon

Réponses

1. C 2. C 3. B 4. B 5. A

Deuxième Saison

Episode :

« La Métamorphose de Buffy »

Le résumé

Personne n'a dit qu'il était facile de mourir. Même un été à Los Angeles avec un père incapable de vous refuser une cinquantième paire de chaussures ne peut compenser le traumatisme. Personne n'a dit non plus qu'il était facile d'être ami avec une ressuscitée, et quand Buffy se décide enfin à exprimer ses émotions, ce sont ses proches qui en pâtissent. Dans ces conditions, il semble peu probable qu'une tentative des vampires visant à ramener leur chef à la vie réussisse beaucoup à améliorer l'ambiance !

La version fouillée

Les méchants

Les acteurs savent que les fans adorent détester les méchants. Ceux-ci ont toujours droit aux plus belles répliques et aux morts les plus spectaculaires, et sans eux, une série comme *Buffy contre les Vampires* n'aurait pas de raison d'être.

Mais il n'est pas simple d'imaginer un méchant parfait. D'abord, il faut qu'il soit assez puissant pour donner du fil à retordre aux héros. Quel serait l'intérêt d'embrocher un vampire qui se recroquevillerait en tremblant dans un coin, serait trop maladroit pour se défendre ou trop stupide pour fomenter des complots diaboliques ?

Faute de méchants à la hauteur, la bande à Buffy ne serait qu'un groupe d'adolescents ordinaires avec leurs problèmes de sexe et d'acné ! Mais l'équilibre est délicat à atteindre, car si le

Qui fait quoi ?

Numéro de production de l'épisode :
(Titre original : *When She Was Bad*) 5V01
Date de première diffusion aux USA :
15 septembre 1997
Scénariste : Joss Whedon
Réalisateur : Joss Whedon

Distribution

Buffy Summers	Sarah Michelle Gellar
Alexandre Harris	Nicholas Brendon
Willow Rosenberg	Alyson Hannigan
Cordélia Chase	Charisma Carpenter
Rupert Giles	Anthony Stewart Head

Invités

Angel	David Boreanaz
Joyce Summers	Kristine Sutherland
Hank Summers	Dean Butler
Jenny Calendar	Robia La Morte
Colin	Andrew J. Ferchland
Tara	Tamara Braun
Proviseur Snyder	Armin Shimerman
Absalom	Brent Jennings

méchant est trop puissant, les héros n'ont plus aucun espoir de le vaincre. Or, personne n'a envie de voir les gentils se faire massacrer...

Créer un méchant qui possède le mélange idéal de forces, de faiblesses et de traits détestables est la tâche la plus difficile qu'un scénariste puisse affronter. Un méchant a besoin d'être consistant, surtout s'il revient semaine après semaine. Il doit pouvoir inventer chaque fois une manière différente de s'en prendre aux héros ; sinon, les spectateurs les plus fidèles risquent de se lasser. Pour jouer sur leurs émotions, le méchant ne doit pas être un simple aléa du scénario, mais un personnage en trois dimensions avec ses motivations, ses problèmes et son histoire.

Tous les méchants présents dans *Buffy contre les Vampires* ne sont pas aussi complexes. Certains se sont même révélés décevants. Le Juge, par exemple. Oh, il avait un sérieux potentiel avec ses capacités de destruction. Mais pour un fléau ancestral de l'humanité, il n'a guère fait plus que de la figuration au cours du double épisode qui lui était consacré. Comme l'a souligné Spike, il passait le plus clair de son temps le cul sur une chaise.

Dans l'épisode final de la deuxième saison, on nous présente une fois de plus un démon capable d'anéantir le monde en l'aspirant vers l'Enfer. Mais Acathla, cette statue de pierre ridicule, serait bien en peine d'inspirer un frisson de terreur à quiconque. Un livreur de pizza est plus effrayant quand vous lui annoncez que vous n'avez pas l'appoint ! Pendant toute la première partie de l'épisode qui porte son nom, il ne fait que rester immobile dans sa caisse.

Mais le Juge et Acathla servent à mettre en valeur les véritables méchants de la série : ces créatures apparemment indestructibles sont des instruments entre les mains de champions de la manipulation comme Spike et Drusilla, le Maître ou Angélus. Ce sont ces derniers qui présentent un vrai défi pour la bande à Buffy.

Mark Metcalf maîtrise le maître

Travailler avec une prothèse faciale, c'est un peu comme vivre dans le Buffy-vers : une bénédiction *et* une malédiction. La prothèse permet d'établir

La carrière de Mark Metcalf

Cinéma – *Julia* (1977) : Pratt
Cinéma – *American College* (1978) : Doug Neidermeyer
Cinéma – *Head Over Heels* (1979) : Ox
Cinéma – *Where the Buffalo Roam* (1980) : Dooley
Cinéma – *The Final Terror* (1981) : Mike
Cinéma – *The Oasis* (1984)
Cinéma – *Almost You* (1984) : Andrews
Cinéma – *The Heavenly Kid* (1985) : Joe
Cinéma – *One Crazy Summer* (1986) : Aquila Beckersted
Cinéma – *Mr North* (1988) : M. Skeel
Série TV – Seinfeld, épisodes « The maestro » et « The doll » (1980) : Maestro
Cinéma – *L'embrouille est dans le sac* (1991) : Milhous
Téléfilm – *Guilty Until Proven Innocent* (1991) : Ron D'Angelo

Feuilleton – *Jackie* (1991) : George Smathers*
Téléfilm – *Dead Ahead : The Exxon Valdez Disaster* (1992) : Kelso
Cinéma – *Rage* (1995) : Lt. Gov. Dalquist
Cinéma – *A Reason to Believe* (1995) : Dean Kirby
Cinéma – *The Stupids* (1996) : Colonel
Cinéma – *Hijacking* (1997) : Michael Lawrence

Meilleure réplique en tant que Maître

« Excellent. La petite conversation idiote qui précède tout combat. »

* Sarah Michelle Gellar a interprété la jeune Jackie dans ce même feuilleton.

l'identité d'un personnage et aide l'acteur à se mettre dans sa peau (au sens littéral du terme !). Mais elle le prive de recourir à toutes les techniques subtiles d'habitude utilisées pour exprimer certaines émotions. Toutefois, le masque du Maître n'empêcha pas Mark Metcalf de camper un méchant particulièrement corrompu et sinistre, notamment grâce à sa voix basse et au plaisir qu'il prit à l'interpréter.

Contrairement à la femelle bezoar qui campe sous le lycée, à la mante religieuse géante ou aux assassins tarakans, malgré son apparence répugnante, le Maître avait des objectifs bien définis. Il a fait preuve de ténacité pour détruire la Tueuse, n'hésitant pas à recourir à la force quand la ruse ne suffisait plus. Mais il avait aussi des faiblesses. Il avait réussi à surmonter la terreur qu'inspirent les croix aux autres vampires ; pourtant, sa nature profonde le trahissait parfois.

James Marsters va droit au but dans le rôle de Spike

« Spike adore faire du mal aux gens », dit James Marsters de son alter ego démoniaque, et c'est certainement le minimum pour un méchant crédible. Spike a un objectif bien défini, qui entre en conflit direct et immédiat avec ceux de la Tueuse : pour rendre ses forces à la vampire qu'il aime, il doit capturer et tuer son Sire... Or, celui-ci n'est autre qu'Angel, le petit ami de Buffy. Un scénario simple mais élégant à partir duquel on peut créer une relation intéressante entre les gentils et les méchants.

Pour autant, il serait faux de croire que Spike est fait tout d'un bloc. Certes, il a une grande gueule, de la cruauté à revendre et pas l'ombre d'un remords. Mais il ne manque pas d'intelligence : la patience et la ruse sont des composants de son caractère aussi importants que la violence et la fureur incontrôlée.

Pour un acteur, le rôle de Spike est très exigeant. Les scènes de passion animale obligent James Marsters à porter une prothèse vampirique, et sont souvent entrecoupées de moments plus tendres où l'acteur doit prendre garde à ne pas en faire trop pour compenser.

Meilleure réplique en tant que Spike

« Je sais bien que tu t'es retiré du jeu depuis un moment, mon pote, mais nous on continue à tuer des gens. C'est notre raison d'être, en quelque sorte. »

Grâce à sa longue expérience du théâtre, James Marsters a le talent nécessaire pour camper un méchant parfait.

Juliet Landau équilibre Drusilla

Les objectifs, la motivation et la cruauté sont intrinsèques à un bon méchant ; mais pour ne pas tomber dans les stéréotypes, celui-ci doit être capable d'évoluer au même titre que les héros. James Marsters et Juliet Landau ont prouvé avec succès leurs capacités d'adaptation en même temps que celles de leurs personnages respectifs.

Pour Spike, c'est une rencontre malheureuse avec Buffy qui le laisse physiquement handicapé et vient entraver tous ses plans. Ironie du sort, Drusilla parcourt le même chemin en sens inverse : elle retrouve ses forces et doit assumer auprès de son compagnon le rôle de protectrice que celui-ci jouait pour elle jusque-là. Du coup, les possibilités d'interaction avec les autres protagonistes augmentent.

Drusilla a beau subir une métamorphose spectaculaire, elle reste toujours aussi psychotique. En l'espace de quelques mois, Juliet Landau a dû interpréter une multitude de changements de personnalité, faire passer à l'écran les émotions les plus perverses avec l'élan et le professionnalisme qu'on est en droit d'attendre de la descendante d'une lignée d'acteurs célèbres. Fille de Martin

La carrière de Juliet Landau

Série TV – *Parker Lewis joue et gagne* (1990) : Lucinda
Cinéma – *Les Arnaqueurs* (1990) : Lilly jeune
Cinéma – *Pump Up the Volume* (1990) : Teri
Cinéma – *Neon City* (1992) : Twink
Cinéma – *Direct Hit* (1994) : Shelly
Cinéma – *Ed Wood* (1994) : Loretta King
Cinéma – *Theodore Rex* (1995) : docteur Shade
Cinéma – *Life Among the Cannibals* (1996)
Cinéma – *Ravager* (1997) : Sarra

Meilleure réplique en tant que Drusilla

« Je leur ai toutes donné le même nom, et ça a provoqué une terrible confusion. »

Landau et de Barbara Bain, Juliet sait que travailler dur paye toujours. Si on en croit sa filmographie, elle est prête à suivre les traces de ses parents.

David Boreanaz, presque un ange

Malgré ses nombreuses qualités, le Maître demeurait toujours égal à lui-même. Juliet Landau a disposé de plusieurs épisodes pour jouer la montée en puissance et en assurance de Drusilla. James Marsters a vu son personnage devenir brutalement handicapé, mais

La carrière de David Boreanaz

Cinéma – *Best of the Best II* (1993) : figuration
Cinéma – *Aspen Extreme* (1993) : figuration
Série TV – *Mariés, deux enfants*

Meilleure réplique en tant qu'Angel

« Il te reste beaucoup à apprendre sur les hommes, petite, comme tu me l'as prouvé la nuit dernière. »

personne ne doutait qu'il finirait par recouvrer ses forces pour se trouver sur un pied d'égalité avec sa compagne.

Le cas d'Angel est tout à fait différent, comme le défi qu'a dû relever David Boreanaz lorsque la malédiction des Gitans s'est retournée contre lui et l'a de nouveau changé en Angélus. A côté, la métamorphose du Docteur Jekyll en M. Hyde ressemblait à une transition en douceur !

Pour un jeune acteur, ce genre d'exercice est très édifiant. Pour les spectateurs de *Buffy contre les Vampires*, il augmente l'impact dramatique des épisodes. Autant on peut prévoir les dangers physiques qui menacent les héros, autant il était impossible de se prémunir émotionnellement contre la transformation d'Angel. Un vieux truc de scénariste consiste à forcer un personnage à grimper sur la dernière branche de l'arbre (la plus fragile), puis à lui jeter des pierres. Avec Angélus, Joss Whedon et son équipe ont créé un méchant qui n'a pas seulement le pouvoir, la motivation et la

L'aviez-vous remarqué ?

La continuité dans le cadre d'une série est une chose merveilleuse. C'est ce qui permet au public de s'imprégner vraiment d'un univers et d'atteindre l'état dit de « suspension d'incrédulité ».
Les fans adorent retrouver des visages familiers en arrière-plan d'un épisode, mais cette fois...
Vous voyez le garçon en chemise violette qui traîne près de la fontaine ? C'est Owen Thurman, avec qui Buffy est sortie dans « Un Premier Rendez-Vous Manqué ». Malheureusement, la scène est tirée de cet épisode ! Il n'est pas grave de recycler d'anciennes prises de vue, à condition de se borner à celles où ne figure personne de reconnaissable...

•

Et en parlant de continuité... Même sans être très observateur, vous remarquerez que la chemise de Buffy, rose durant la scène où elle est dans la voiture de sa mère, devient blanche quand elle se trouve au lycée et de nouveau rose avant la tombée de la nuit. Même Buffy ne se soucie pas de sa tenue au point d'en changer en traversant le campus !

volonté de détruire leur héroïne, mais dont les relations avec cette même héroïne sont un des enjeux de la série.

Angélus pourrait tuer Buffy d'un millier de façons sans même poser la main sur elle. Utilisant leur ancienne intimité comme une arme, il devient son ultime antagoniste. A côté de lui, un démon capable d'aspirer le monde vers l'Enfer a l'air aussi ridicule qu'un nain de jardin.

Les enseignements de Buffy

† Quand votre petit ami est un vampire, vous découvrez soudain le sens de l'expression « un coup d'Enfer ».

† Le meurtre gratuit et sauvage est une des distractions favorites des vampires.

† Il est plus facile de résoudre ses querelles d'amoureux un maillet à la main.

† Demander à un bibliothécaire ce qu'il a fait de ses vacances d'été est redondant si vous savez ce qu'il fait des trois autres saisons.

Quizz de l'apprentie tueuse

Questions

1. Quelle actrice n'a jamais interprété un vampire ?
   A Sarah Michelle Gellar
   B Bianca Lawson
   C Kathryn Leigh Scott
   D Lauren Hutton

2. Quel acteur n'a jamais interprété un Observateur dans *Buffy contre les Vampires* ?
   A Anthony Stewart Head
   B Donald Sutherland
   C Richard Riehle
   D John Ritter

3. Quel acteur de *Buffy contre les Vampires* a été « découvert » alors qu'il promenait son chien ?
   A David Boreanaz
   B Anthony Stewart Head
   C Seth Green
   D Armin Shimerman

4. Qui a écrit le scénario du film *Buffy contre les Vampires* ?
   A James Cameron
   B Chris Carter
   C Joss Whedon
   D Christopher Wiggins

5. Quelles actrices ont interprété un professeur dans *Buffy contre les Vampires* ?
   A Musetta Vander
   B Terry Cain
   C Denise Dowse
   D Julie Fulton

Réponses

1. B 2. D 3. A 4. C 5. A, B, C et D (encore un piège !)

Episode :

« Le Puzzle »

Le résumé

Comme si une Tueuse vivant sur la Bouche de l'Enfer n'était pas déjà suffisamment occupée à garder un œil sur les vampires et les démons de tout acabit, voilà que des humains se mettent à exhumer des corps dans le cimetière de Sunnydale — décidément le dernier endroit où il faut être vu ! Les cadavres de jeunes filles ne peuvent pas témoigner, mais ce sont des vivantes dont Buffy doit se soucier quand les pilleurs de tombes décident de s'attaquer à des proies plus fraîches.

La version fouillée

Il y a de l'or dans les tombes !

Sans les scientifiques, il n'y aurait pas de pilleurs de tombes !

— William Burke, 1829,
avant d'être pendu
pour ce même crime.

Burke savait de quoi il parlait : avec son partenaire Hare, qui l'aidait à tenir un hôtel délabré dans un quartier mal famé d'Edimbourg, il avait découvert que vendre des cadavres à l'Ecole d'Anatomie du docteur Knox était infiniment plus rentable que de nourrir et de loger les vivants.

Tout commença de manière assez anodine, quand un de leurs clients mourut pendant la nuit sans un sou en poche pour les régler. Ayant entendu dire qu'un docteur des environs cherchait des cadavres pour ses cours de dissection, ils décidèrent de lui vendre celui-là pour rentrer dans leurs frais. La famille du

Qui fait quoi ?

Numéro de production de l'épisode :
(Titre original : *Some Assembly Required*) 5V02
Date de première diffusion aux USA :
22 septembre 1997
Scénariste :
Ty King
Réalisateur :
Bruce Seth Green

Distribution

Buffy Summers	Sarah Michelle Gellar
Alexandre Harris	Nicholas Brendon
Willow Rosenberg	Alyson Hannigan
Cordélia Chase	Charisma Carpenter
Rupert Giles	Anthony Stewart Head

Invités

Angel	David Boreanaz
Jenny Calendar	Robia La Morte
Eric	Michael Bacall
Chris	Angelo Spizzirri
Daryl	Ingo Neuhaus
Mme Epps	Melanie McQueen
Chef des Pom-Pom Girls	Amanda Wilmshurst

défunt aurait pu élever des objections, mais Hare et Burke n'avaient rien fait qui soit illégal. Dégoûtant et immoral, certes, mais pas en infraction avec les lois de l'époque, puisqu'un mort ne jouissait d'aucun droit pouvant être violé.

Comme dans le cas de Chris et Eric, les pilleurs de tombes de Sunnydale, ce fut quand ils s'attaquèrent aux vivants que Burke et Hare commencèrent à avoir des ennuis. Au bout de quinze disparitions nocturnes, leur hôtel avait acquis une sale réputation à cause du taux de mortalité inhabituellement élevé de ses clients. Les étudiants en médecine s'étonnaient d'avoir affaire à des *matières premières* de plus en plus fraîches.

Quand le cadavre de Mary Docherty, une des prostituées les plus célèbres d'Edimbourg, atterrit sur une table de dissection, plusieurs personnes l'identifièrent, et le petit commerce lucratif de Burke et de Hare dut s'interrompre.

Des dizaines de témoins attestèrent que Mary semblait en parfaite santé quelques

Les enseignements de Buffy

† On peut encore être cool
à deux cent quarante et un ans.

† Les talons hauts et les tombes ouvertes
ne font pas bon ménage.

† Inviter quelqu'un au restaurant,
surtout mexicain, peut déboucher
sur « quelque chose ».

† Etre une visiteuse régulière du site Internet
de la morgue n'a pas un effet très positif
sur votre vie sociale.

† Parler à une chaise vide, c'est le signe
qu'on est inapte à la drague.

† Les sorties scolaires ne devraient pas s'étendre
aux visites de cimetière.

† Quand les bibliothécaires et les vampires ont
une vie sentimentale mieux remplie que celle
d'une adolescente de dix-sept ans, il est temps
pour celle-ci de revoir sa stratégie globale.

heures avant sa mort. Les accusations de meurtre ne tardèrent pas à suivre, et Hare préféra tout mettre sur le dos de son partenaire plutôt que de comparaître aussi devant la justice. Il s'enfuit de la ville tandis que Burke finissait sur la potence.

Le plus ironique : comme presque tous les sujets d'une exécution légale, il finit à son tour sur une table de dissection... Quant à Knox, il ne fut jamais inquiété.

D'une façon certes vénale, Chris et Eric ne faisaient que suivre les traces de grands hommes comme Michel-Ange, Léonard de Vinci ou Raphaël, réduits à voler des cadavres dans l'intérêt de leur art. Hippocrate, dont le serment est toujours prêté par les membres du corps médical, encourageait ses étudiants à dérober des corps chaque fois que possible pour améliorer leurs connaissances anatomiques. Isaac Newton, Charles Darwin et Francis Bacon approuvaient tacitement l'idée d'engager des pilleurs de tombes pour se procurer les cadavres nécessaires aux besoins des scientifiques.

Comme l'a fait remarquer le docteur Abraham Schiell, « Faute d'un certain sacrifice consenti par les masses, les progrès de l'humanité s'arrêteraient ici. »

Mais les « masses » qui fournissaient, volontairement ou non, 95 % du « sacrifice », ne purent s'empêcher de noter que les scientifiques gagnaient grâce à elles de la renommée, les pilleurs de tombes des pièces d'or, et les familles des défunts absolument rien !

A l'apogée de cette période, de nouvelles professions virent le jour en réponse aux profanations de cimetières. Les cercueils, qui jusqu'ici n'avaient jamais été très luxueux même quand on les destinait au corps d'un riche défunt, se changèrent en boîtes de marbre garnies d'une couche de plomb et protégées par un solide verrou métallique.

Botcher et Crewe proposaient un Cercueil Anti-Vol de près de deux mètres carrés qui ressemblait plus à un puzzle chinois qu'à un réceptacle funéraire. Ses panneaux coulissants permettaient de placer le défunt dans huit positions différentes, afin de décourager les pillards. Il comprenait même un petit écriteau destiné à être enfoncé dans le sol : l'équivalent des autocollants que l'on met aujourd'hui sur les voitures protégées par une alarme. Pour la moitié de la somme qu'un pillard pouvait tirer du cadavre, les familles engageaient un veilleur qui s'asseyait sur la tombe afin de défendre le corps jusqu'à ce que sa décomposition soit suffisamment avancée.

Bien sûr, il fallait pour cela que le veilleur ne se laisse pas soudoyer ou ne travaille pas déjà en secret pour des pillards bien organisés !

Le roman de Mary Shelley, *Frankenstein*, fut écrit à cette époque. Il n'illustrait pas seulement la crainte (toujours très actuelle) que la recherche scientifique finisse par prendre le pas sur les considérations éthiques, mais aussi l'horreur victorienne des examens post mortem. Souvenez-vous que dans ce récit, le véritable monstre, c'était le docteur Frankenstein, qui s'efforçait de créer la vie à partir de morceaux de cadavres rapiécés.

De nombreuses histoires de gens réanimés après leur mort circulaient déjà dans la bonne société victorienne quand elles commencèrent à faire la une des journaux et à se propager dans les salles de classe. On raconte qu'un chirurgien allemand, sur le point de pratiquer l'examen post mortem d'un pendu,

L'aviez-vous remarqué ?

Cet épisode marque le premier remaniement du générique de *Buffy contre les Vampires*. Ce n'est plus un narrateur inconnu qui expose le mythe de la Tueuse, mais Anthony Stewart Head (Rupert Giles dans la série).

•

Combien de photos de ses victimes Eric a-t-il prises ? Aucune de celles que nous voyons dans son collage ne provient de la séance impromptue organisée dans les couloirs du lycée.

•

Euh... Où a disparu la pelle ?

se tourna vers ses étudiants et leur dit, une main posée sur la poitrine du cadavre :

« D'après la température du sujet et la souplesse de ses membres, je suis certain que des soins attentifs pourraient le ranimer. Mais quand je pense au criminel qui rôderait alors en liberté, et risquerait de tuer d'autres innocents, je me dis qu'il vaut mieux procéder à la dissection. » Ce dont il s'acquitta, malgré ce qu'un étudiant décrivit comme des « soubresauts très gênants du cadavre qui nous empêchèrent de bien voir ».

Pas étonnant que les scientifiques de l'époque aient été considérés comme des créatures sadiques et amorales ! Pas étonnant que les « masses » les aient cru capables de ramener un cadavre à la vie. Et pas étonnant non plus que cette histoire puisse encore de nos jours choquer les spectateurs de *Buffy contre les Vampires*.

Quizz de l'apprentie tueuse

Questions

1. Quels acteurs ont interprété le monstre de Frankenstein ?
   A Robert de Niro
   B Boris Karloff
   C Nick Brimble
   D Michael Sarrazin

2. Quelle actrice interprétait le rôle principal dans *La Fiancée de Frankenstein* ?
   A Elsa Lanchester
   B Catherine Deneuve
   C Lauren Hutton
   D Audrey Hepburn

3. Qui interprète l'ultime buveur de sang dans le film *Buffy contre les Vampires* ?
   A Mark Metcalf
   B David Boreanaz
   C Tom Cruise
   D Rutger Hauer

4. Qui a écrit le roman *Frankenstein* ?
   A Bram Stoker
   B Lord Byron
   C Mary Wollstonecraft Shelley
   D Jules Verne

5. Quelle créature fictive n'est pas inspirée du folklore ?
   A Dracula
   B Le loup-garou
   C Le monstre de Frankenstein
   D L'incube

Réponses

1. A, B, C et D 2. A 3. D 4. C 5. C

Episode :

« Attaque à Sunnydale »

Le résumé

La semaine va être chargée pour Buffy. Les vampires la veulent comme plat principal pour leur banquet de la Saint-Valérien ; le proviseur Snyder et sa mère la veulent pour la soirée parents-professeurs au lycée ; Giles veut qu'elle s'entraîne, Sheila veut la laisser tomber... ou se jeter sur elle. Pour tout arranger, la famille de son petit ami lui rend une visite inopinée. Comment jongler avec un pareil emploi du temps ?

La version fouillée

Cher papa

A l'époque de *Dracula*, le vampire typique était un loup solitaire, un étranger mystérieux avec un faible pour les jeunes dames victoriennes. Il était effrayant et célibataire, malgré son harem de femelles vampires. Le Comte n'était pas du genre à avoir une famille accrochée à ses basques ! Il réduisait ses victimes en esclavage ; les malheureuses n'osaient ni lui répondre, ni mettre en question son autorité, et encore moins le projeter sous un rayon de soleil !

De nos jours, les spectateurs veulent que leurs héros se dévoilent progressivement, qu'ils leur révèlent une à une leurs forces et leurs faiblesses, leurs origines et leurs motivations. C'est ainsi qu'au fil du temps, les auteurs ont pris l'habitude de développer des « familles » vampiriques pour satisfaire les attentes de leur public. « Sires », « clans » et « coteries » fournis-

Qui fait quoi ?

Numéro de production de l'épisode :
(Titre original : *School Hard*) 5V03
Date de première diffusion aux USA :
29 septembre 1997
Scénaristes : Joss Whedon et David Greenwalt
Adaptation : David Greenwalt
Réalisateur : John T. Kretchmer

Distribution

Buffy Summers	Sarah Michelle Gellar
Alexandre Harris	Nicholas Brendon
Willow Rosenberg	Alyson Hannigan
Cordélia Chase	Charisma Carpenter
Rupert Giles	Anthony Stewart Head

Invités

Angel	David Boreanaz
Joyce Summers	Kristine Sutherland
Jenny Calendar	Robia La Morte
Colin	Andrew J. Ferchland
Spike	James Marsters
Drusilla	Juliet Landau
Sheila	Alexandra Johnes
Proviseur Snyder	Armin Shimerman
Brian Kirch	Alan Abelew
Parent d'Elève	Keith MacKechnie
Fille en Détresse	Joanie Pleasant

sent une pléthore de personnages secondaires aux anti-héros de la fiction vampirique, notamment dans les livres d'Anne Rice ou dans des séries comme *Kindred : The Embrace* et, bien sûr, *Buffy contre les Vampires*.

Pas facile de garder en tête toutes ces différentes filiations. Reprenons depuis le début : le Maître a créé Darla, qui a créé Angel. Donc, le Maître est le grand-père d'Angel. D'accord ? Angel a créé Spike ; il est donc son Sire. Bien. Entre-temps, le Maître a créé Colin, le Juste des Justes.

Quel lien de parenté vampirique unit donc Colin et Spike ? Dans une famille normale, le premier serait le grand-oncle du second, bien qu'il soit beaucoup plus jeune. Sans compter que Spike et Drusilla ayant tous deux été créés par Angel, ces amants maudits devraient être considérés comme frère et sœur. A côté de ça, l'histoire entre Angel et Buffy semble tout à coup très simple...

Vampires et tabous sont toujours aussi liés qu'à l'époque victorienne. Mais

Les enseignements de Buffy

† Les années 60 furent une époque psychédélique, y compris pour les vampires.

† A Sunnydale, la confection de pieux est un passe-temps acceptable pour un samedi soir.

† A Sunnydale, l'expression : « Le vache doit me touche de la jeudi » a un sens !

† La Bouche de l'Enfer, c'est ce qui se fait de mieux en matière de centre aéré pour vampires.

† Les trois accessoires indispensables de la chasse aux vampires ? Un pieu, une mère armée d'une hache et du fond de teint.

† Ne demandez jamais à un vampire muni d'une hache de surveiller vos arrières.

† Les braqueurs masqués sont responsables d'un nombre incroyable de délits dont ils n'ont jamais entendu parler.

† Ce n'est pas parce que vous venez de sauver la vie de votre mère qu'elle va lever votre interdiction de sortie.

en raison de l'évolution sociale, ce sont aujourd'hui des tabous différents. En 1897, il était très inconvenant d'évoquer le sexe, même sans parler des pratiques déviantes tels l'inceste ou la prostitution. Les jeunes dames convenables se choquaient d'un rien. Un gentleman séduisant et ténébreux, même noble, qui se serait introduit dans leur chambre en pleine nuit pour dérober leur sang ou leur virginité aurait provoqué un beau scandale !

A l'époque de la publication de *Dracula*, le mariage était une institution autant qu'un rite. Il donnait à une femme du prestige, une place dans la société et la liberté en cas de veuvage. Une épouse bien née pouvait se déplacer sans chaperon, commander ses propres repas, diriger le personnel engagé par son mari et faire ses courses avec l'argent qui lui était généreusement alloué.

En échange de ces privilèges, elle devait se plier à trois obligations : ne jamais penser au sexe, ne pas avoir d'opinion sur le sexe, ne jamais parler de sexe. Dans cette société répressive, le vampire apparaissait comme un anti-héros faisant un pied de nez aux convenances. Malgré leur côté horrifiant, les romans du genre étaient considérés comme le summum du romantisme !

Depuis, les temps ont bien changé, et le vampire victorien semble une créature presque pathétique, ses pouvoirs extraordinaires ne lui permettant même pas d'avoir un rendez-vous amoureux normal ! Sans son aspect terrifiant, secondaire en 1897, les femmes des années 90 pleureraient de rire face au Dracula de Stoker.

Pour repousser les morts-vivants dans les marges de la société, il a fallu recourir à de nouveaux stratagèmes, briser de nouveaux tabous. Comme on dit, plus les choses changent, plus elles restent identiques. Donc, une fois encore, ces tabous sont d'ordre sexuel, même si leur nature exacte a beaucoup évolué.

Les relations complexes qui sous-tendent la société vampirique moderne, les arbres généalogiques qui peuvent faire de

L'aviez-vous remarqué ?

Certaines choses ne changent jamais. Par exemple, chaque épisode de *Buffy contre les Vampires* contient une erreur de continuité ! Observez les livres que Buffy et Willow abandonnent sur leur table au *Bronze*. Quand elles reviennent après avoir dansé, quelqu'un a piqué leurs *devoirs* ! Vous croyez que leurs profs goberont cette excuse ?

•

Et que dire de la vitrine aux trophées baladeuse ? Quand Cordélia et Willow plongent dans le placard à balai, elle est juste à côté de la porte. Deux scènes plus tard, elle a déménagé de l'autre côté du couloir. Par ailleurs, pourquoi y a-t-il un éclairage de secours à l'intérieur de cette vitrine, mais nulle part ailleurs dans le lycée ?

•

Puisque les vampires ne peuvent pas respirer (Angel l'a prouvé la saison précédente en ne pouvant pas faire de bouche-à-bouche à Buffy après sa noyade) que fait Spike avec une cigarette ? Il semble n'avoir aucun problème à inhaler la fumée !

•

> On sait qu'à part de l'écran total indice 2000, rien ne peut empêcher un vampire de brûler au soleil de Sunnydale. Mais bien que le mythe du buveur de sang existe dans la plupart des cultures, c'est Bram Stoker qui, dans son roman *Dracula*, a introduit la notion du danger constitué par la lumière du jour. Depuis, c'est devenu une des caractéristiques principales des vampires.

quelqu'un à la fois votre sœur, votre tante et votre mère, permettent aux conteurs de s'aventurer dans des eaux de plus en plus troubles. Qu'est-ce qu'un petit inceste tant qu'il reste dans la famille ? Même le meurtre acquiert une nouvelle portée quand un assassinat peut être simultanément un parricide, un fratricide et un régicide.

Ce que la fiction vampirique a toujours fait et continue à faire, c'est bouleverser les normes établies. Voilà ce qui donne du piquant à la relation étrange entre Spike et Drusilla. Voilà ce qui nous étonne quand l'ordre ancien est renversé, ou nous intrigue quand une Tueuse tombe amoureuse de celui qui devrait être son pire ennemi. *Buffy contre les Vampires* réussit à renouveler un genre séculaire pour notre plus grand plaisir de spectateurs.

Quizz de l'apprentie tueuse

Questions

1. Qui n'a pas interprété un vampire à la télévision ?
   - A Brian Thompson
   - B James Marsters
   - C Juliet Landau
   - D Alyson Hannigan

2. A qui appartient le chien nommé Bertha Blue ?
   - A Alyson Hannigan
   - B Charisma Carpenter
   - C James Marsters
   - D David Boreanaz

3. Qui dit de son personnage : « C'est un psychopathe, mais j'adore ça » ?
   - A David Boreanaz
   - B Seth Green
   - C James Marsters
   - D Robin Sachs

4. Le père d'une des actrices suivantes a interprété Dracula dans une pièce de théâtre en 1984. Laquelle ?
   A Sarah Michelle Gellar
   B Juliet Landau
   C Julie Benz
   D Musetta Vander

5. Qui dirige sa propre compagnie théâtrale ?
   A Seth Green
   B James Marsters
   C David Boreanaz
   D Ken Lerner

Réponses

1. D 2. D 3. C 4. B 5. B

Episode :

« La Momie Inca »

Le résumé

Buffy et ses camarades doivent se traîner au musée pour contempler les vestiges d'une civilisation disparue depuis des siècles — comme si la Tueuse n'avait pas déjà suffisamment affaire à des choses mortes... En plus, Sunnydale est envahi d'étudiants étrangers venus dans le cadre d'un programme d'échange. Encore des gens à qui il va falloir que Buffy cache son identité ! Pour couronner le tout, une momie décide de s'attaquer à son meilleur ami...

La version fouillée

Ampata ou Ampato ?

Si le nom du dernier problème en date de Buffy vous rappelle quelque chose, c'est que vous avez déjà entendu l'histoire de la véritable Vierge d'Ampato. Même si vous ne vous intéressez pas à l'archéologie, que vous ignorez qui étaient les Incas et que vous ne regardez jamais la télévision, vous n'avez pas pu échapper à la vague médiatique qui a entouré ce miracle anthropologique durant l'été 1997.

Comme l'Ampata du Buffyvers, la Vierge d'Ampato était une adolescente péruvienne, sans doute originaire d'un petit village qui se dressait dans les Andes il y a cinq cents ans. Jeune fille frêle aux cheveux noirs et brillants, aux dents d'une blancheur éclatante, aux yeux sombres et, si on en croit les extrapolations informatiques, aux fossettes profondes, elle n'aurait jamais été

Qui fait quoi ?

Numéro de production de l'épisode :
(Titre original : *Inca Mummy Girl*) 5V04
Date de première diffusion aux USA :
6 octobre 1997
Scénaristes : Joss Whedon et David Greenwalt
Adaptation : David Greenwalt
Réalisateur : John T. Kretchmer

Distribution

Buffy Summers	Sarah Michelle Gellar
Alexandre Harris	Nicholas Brendon
Willow Rosenberg	Alyson Hannigan
Cordélia Chase	Charisma Carpenter
Rupert Giles	Anthony Stewart Head

Invités

Joyce Summers	Kristine Sutherland
Oz	Seth Green
Ampata la Momie	Ara Celi
Le Vrai Ampata	Samuel Jacobs
Gwen	Kristen Winnicki
Devon	Jason Hall
Péruvien	Gil Birmingham
Sven	Henrik Rosvall
Rodney	Joey Crawford
Jonathan	Danny Strong

retrouvée sans l'éruption volcanique qui se produisit à plus de 7 000 mètres d'altitude près d'un sommet enneigé baptisé Mont Ampato (des circonstances trop spectaculaires pour être reproduites à l'écran, même dans *Buffy contre les Vampires* !).

L'archéologue auquel on attribua sa découverte, le docteur Johan Reinhard, avait en fait rejeté ce site comme lieu de fouilles. Malgré l'éruption, la Vierge aurait pu rester dissimulée pendant encore quelques siècles si des plumes aux couleurs exotiques, dont certaines ornaient sa coiffe, n'avaient pas été entraînées au bas de la pente par la glace qu'avaient fait fondre les cendres brûlantes.

En tant que découverte anthropologique, la Vierge d'Ampato est unique. Enfouie dans un sol glacé, bien au-dessus de la ligne des neiges éternelles, elle fut congelée en quelques heures après sa mort. Quand on la retrouva, tous ses vêtements (parmi lesquels une tunique d'alpaga et une chemise de lin fin) étaient intacts, et son corps n'avait même pas commencé le processus de décomposition.

Contrairement à celle de la plupart des momies, qui sont desséchées et friables, sa peau était restée souple et douce. Selon un observateur, « son visage et son cou sont ridés, mais tout le reste est si bien préservé qu'on distingue encore un grain de beauté sur son pied, et des traces de bronzage sur ses bras ! » Quant à ses organes (anatomiquement la chose la plus difficile à conserver), jamais on n'en avait retrouvé

Les enseignements de Buffy

† Même les momies devraient se soucier de leurs vêtements.

† Les soirées d'étudiants sont l'environnement naturel des Tueuses incognito.

† Toute relation qui n'implique ni une mante religieuse géante ni une momie devrait avoir un potentiel intéressant !

d'aussi frais dans un corps naturellement momifié. Même les momies égyptiennes devaient subir un traitement chimique pour ne pas se détériorer. Vu la qualité des spécimens du Mont Ampato (deux autres furent retrouvés, mais en moins bon état), il n'est pas étonnant que la Vierge ait suscité un tel intérêt académique.

En revanche, les scientifiques furent surpris par la réaction du grand public qui put voir les momies. « Elle a quelque chose de tellement vulnérable, affirme Maisie McCarthy, une adolescente new-yorkaise de quatorze ans. Elle semble si réelle ! Et je n'arrive pas à croire qu'elle ait choisi de se sacrifier. »

Sur ce point au moins, Ampata et la Vierge d'Ampato diffèrent dramatiquement. La première était prête à détruire n'importe qui pour continuer à vivre, alors que la seconde s'est sans doute portée volontaire pour mourir. Son parfait état de conservation a permis aux archéologues de conduire une multitude d'expériences impossibles à réaliser sur des spécimens plus desséchés, et ils n'ont trouvé aucune trace de violence. En fait, elle n'a même pas dû se débattre : son corps ne porte ni égratignure ni ecchymose.

La Vierge d'Ampato était une jeune fille musclée, bien nourrie et en parfaite santé ; elle n'arborait qu'une fracture du crâne au-dessus d'un œil. Selon Sidney Copely, professeur et médecin légiste, cela nous en dit long sur son peuple et sa culture.

« Il ne fait aucun doute qu'elle est morte d'un coup proprement assené sur la tête, et qu'il n'avait rien d'accidentel. Elle était destinée à mourir, mais si on considère les atroces sacrifices pratiqués par certaines cultures sud-américaines, on peut dire qu'elle a eu de la chance. Ce n'était pas exactement de l'euthanasie, mais les gens qui l'ont tuée ne voulaient pas qu'elle souffre : ils ont procédé de la manière la plus rapide et la plus indolore pour atteindre leur objectif. »

« Et ce n'est pas la seule indication. Une petite tache de vomi sur ses vêtements nous permet de dire qu'elle avait

L'aviez-vous remarqué ?

Même les cadavres ont une vie nocturne à Sunnydale. Vous avez remarqué que la momie a changé de côté entre la première et la seconde tentative de Buffy visant à soulever le couvercle de son sarcophage ?

•

Buffy est encore plus mauvaise élève qu'un type qui pense qu'il n'existe que quatorze éléments chimiques ! Hé, ma vieille, il est temps de prendre des cours du soir.

•

Si vous avez vu le film *A Cry in the Dark*, basé sur la vie de Lady Chamberlain qui affirmait que des chiens sauvages avaient enlevé son bébé pendant qu'elle campait en Australie, vous savez déjà d'où vient le nom du groupe d'Oz et de Devon : Dingoes Ate My Baby. Dans la réalité, les chansons qu'ils jouent sur scène sont interprétées par Four Star Mary.

•

Erreur de continuité ! On vous avait bien dit qu'il y en avait une dans chaque épisode... Observez le sac de gym d'Alex pendant qu'il lutte contre le garde du corps. Bien que nous l'ayons clairement vu dégringoler le long de plusieurs rangées de sièges, il se trouve de nouveau à sa place d'origine quand Alex le ramasse et s'enfuit en courant.

•

Cordélia conduit. Oz conduit. Alex conduit. Pas étonnant que Buffy veuille passer son permis ! Imaginez-vous en train de faire confiance à un chauffeur qui a failli être transformé en momie ! Il est temps que les critères de sélection de la Tueuse incluent un véhicule personnel.

sans doute été droguée avec des plantes locales, ou saoulée à la bière de maïs.

Elle n'a même pas dû sentir le coup qui l'a tuée, et qui était d'une précision quasi-chirurgicale... surtout quand on pense qu'on a affaire à une civilisation précolombienne. J'imagine que ces gens devaient avoir un spécialiste qui faisait payer ses services aussi cher que nos meilleurs médecins. La Vierge d'Ampato est morte très vite et sans éprouver la moindre douleur. C'est plus que nous ne pouvons offrir à beaucoup de nos contemporains. »

Si vous vous intéressez vraiment aux momies retrouvées intactes dans les Andes péruviennes, vous avez dû beaucoup rire en voyant arriver le véritable Ampata par le bus. En effet, après la découverte, le docteur Reinhard dut transporter le spécimen — qui plus tard, bénéficierait d'une protection armée et fascinerait les plus grands scientifiques du monde — à dos de mule et en car pendant près de quatorze heures !

Quizz de l'apprentie tueuse

Questions

1. Qui interprétait le rôle-titre dans le premier film de *La Momie* ?
   A Boris Karloff
   B Lon Chaney Sr.
   C Lon Chaney Jr.
   D Bela Lugosi

2. Qui est né le 5 novembre 1949 ?
   A Anthony Stewart Head
   B Robia La Morte
   C James Marsters
   D Armin Shimerman

3. Dans quel pays est-il plus probable de découvrir une momie inca ?
   A Au Canada
   B En Russie
   C Au Pérou
   D A Haiti

4. En quelle année est sorti le premier film de *La Momie* ?
   A 1919
   B 1925
   C 1932
   D 1956

Réponses

1. A 2. D 3. C 4. D

Episode :

« Dévotion »

Le résumé

Le devoir sacré de Buffy commence à lui taper sérieusement sur les nerfs, et sa relation avec Angel ne semble mener nulle part. Bref, elle est mûre pour se laisser entraîner par Cordélia dans une soirée peuplée de jeunes gens séduisants qui respirent encore. Entre patrouiller et faire la fête, le choix n'est pas difficile. Après avoir monté un gros mensonge pour endormir la méfiance de sa mère et celle de son Observateur, Buffy s'en va retrouver les Delta Zêta Kappa. Mais il ne lui faut pas longtemps pour s'apercevoir qu'ils sont beaucoup plus étranges qu'elle ne l'aurait imaginé...

La version fouillée

Le Véritable rituel de bizutage

Tout l'intérêt de séries comme *Buffy contre les Vampires*, c'est leur capacité d'interpeller les spectateurs à plusieurs niveaux différents et de les transformer en voyeurs ayant l'impression de s'observer eux-mêmes. Quel que soit leur âge, qu'ils aient quitté le lycée depuis trois ou trente ans, ils peuvent s'identifier aux personnages, parce que *Buffy* comble le fossé des générations en se concentrant sur des expériences universelles. D'accord, les groupes de rock, la mode vestimentaire et les coupes de cheveux ont un peu évolué au fil du temps, mais le paysage émotionnel est resté le même.

Enlevez tous les vampires et les pieux, il vous restera une série qui traite de problèmes universels et facilement identifiables.

Qui fait quoi ?

Numéro de production de l'épisode :
(Titre original : *Reptile Boy*) 5V05
Date de première diffusion aux USA :
13 octobre 1997
Scénariste :
David Greenwalt
Réalisateur :
David Greenwalt

Distribution

Buffy Summers	Sarah Michelle Gellar
Alexandre Harris	Nicholas Brendon
Willow Rosenberg	Alyson Hannigan
Cordélia Chase	Charisma Carpenter
Rupert Giles	Anthony Stewart Head

Invités

Angel	David Boreanaz
Tom	Todd Babcock
Richard	Greg Vaughn*
Callie	Jordana Spiro

* Il y a eu une faute de frappe au générique : en réalité, c'est Vaughan.

Malgré son scénario axé autour d'un démon, « Dévotion » présente des situations intrinsèquement humaines d'une façon qui nous les rend accessibles. Alex en perruque blonde, soutien-gorge 110E et talons hauts, ça plante tout de suite le décor d'un bizutage étudiant et ça évite de s'attarder sur des descriptions fastidieuses. Sans compter que ça nous fait mourir de rire.

Plus tard, le rire tourne au jaune quand on se souvient de drames bien

Les enseignements de Buffy

† Rien de bon ne vit jamais dans les sous-sols.

† Les rêves en Dolby Stereo sont le signe d'un coup de cœur imminent.

† « Enfiler quelque chose de plus confortable » ne devrait pas inclure les robes de moine.

† Partir d'une soirée avec un soutien-gorge que vous n'aviez pas à l'arrivée est une très mauvaise idée.

trop réels, comme la mort en 1994 de Mike Davis, un étudiant de l'Université du Missouri qui avait servi de punching-ball pendant toute une semaine à ses condisciples plus âgés. Entre 1983 et 1996, les bizutages ont entraîné le décès de vingt-trois autres personnes aux USA.

Heureusement, tous les rituels d'initiation à une fraternité ne connaissent pas une conclusion aussi dramatique. Depuis 1987, de nombreux états de USA ont adopté des lois interdisant les bizutages. On reconnaît actuellement trois niveaux différents, dont la définition et les sanctions associées s'affinent chaque année.

Le niveau le plus bas peut porter sur les actes suivants :

- Forcer les bizuths à utiliser des accès, des toilettes ou des zones de restauration différents de ceux des anciens (par exemple, les faire manger au-dessus d'une cuvette de WC).
- Exiger que les bizuths rendent des services humiliants aux anciens (par exemple, balayer leur chambre).

- Exiger que les bizuths se livrent constamment à des activités inutiles à l'intérieur du quartier général de la fraternité.
- Exiger que les bizuths se travestissent de façon embarrassante ou dégradante (tu vois, Alex, tu n'es pas tout seul !).
- Exiger que les bizuths commettent des infractions mineures (vol à l'étalage, par exemple).
- Exiger que les bizuths agissent vocalement à des phrases ou des circonstances particulières.

Le niveau intermédiaire peut porter sur les actes suivants :

- Exiger que les bizuths s'abstiennent de dormir pendant plus de vingt-quatre heures.
- Exiger que les bizuths se dévêtissent en partie ou en totalité.
- Exiger que les bizuths renoncent à toute hygiène corporelle, et les priver d'accès aux toilettes ou à une salle de bains.

- Exiger que les bizuths se laissent recouvrir de substances telles que goudron et plumes, sirop, huile, fluides corporels ou déchets organiques et toute autre substance nocive.
- Soumettre les bizuths à des humiliations verbales.

Le niveau le plus élevé comprend les actes susceptibles d'entraîner des dommages physiques. Certaines fraternités ont fait preuve de beaucoup d'imagination pour inventer des rituels qui n'aient pas déjà été nommément proscrits par la loi. Pour le moment, la liste comprend les actes suivants :

- Exiger des bizuths qu'ils ingurgitent de l'alcool en n'importe quelle quantité (un étudiant retrouvé mort dans le fleuve avait un taux d'alcoolémie quatre fois supérieur à la limite légale).
- Soumettre les bizuths à un marquage corporel.
- Exiger des bizuths qu'ils absorbent de force toute nourriture ou substance

ne faisant pas partie de leur régime alimentaire habituel.

- Exiger des bizuths qu'ils effectuent des exercices physiques forcés (l'un d'eux a été admis aux urgences pour un arrêt cardiaque après avoir effectué 2 500 pompes).
- Frapper les bizuths à mains nues ou à l'aide d'instruments.
- Soumettre les bizuths à un confinement physique (un jeune homme s'est asphyxié après être resté sept heures avec les mains et les chevilles liées dans le dos ; un autre a failli succomber au manque d'oxygène après avoir

L'aviez-vous remarqué ?

Charisma Carpenter et Greg Vaughan doivent se demander quel antagonisme latent pousse les directeurs de casting à leur faire jouer des amoureux qui se querellent. En dépit de leurs carrières relativement brèves, ils sont apparus ensemble dans *Malibu Shores* et *Buffy contre les Vampires*. Dans les deux cas, ils interprétaient un couple en bisbille.

passé toute une nuit dans une niche conçue pour un chien de trente kilos maximum).

- Exposer les bizuths à des températures ou d'autres facteurs environnementaux extrêmes.
- Exiger des bizuths qu'ils retrouvent seuls leur chemin après avoir été abandonnés en pleine nature dans un endroit inconnu.

Bien que ces possibilités n'aient sans doute pas effleuré les spectateurs pendant qu'Alex se faisait relooker en blonde à la forte poitrine, elles ont dû leur venir à l'esprit après le générique de fin. Et la capacité de produire une impression durable, voire d'entraîner une réflexion chez les gens n'est-elle pas la marque d'un programme de qualité ?

Quizz de l'apprentie tueuse

Questions

1. Quel acteur de *Buffy contre les Vampires* a un golden retriever baptisé Sidney ?
   A David Boreanaz
   B Charisma Carpenter
   C Sarah Michelle Gellar
   D Anthony Stewart Head

2. Lequel de ces acteurs de *Buffy contre les Vampires* est obligé de danser en minijupe devant les Delta Zeta Kappas ?
   A Sarah Michelle Gellar
   B Alyson Hannigan
   C Charisma Carpenter
   D Nicholas Brendon

3. Qu'ont en commun Suzan Bagdadi, Jeri Baker, Dugg Kirkpatrick, Susan Carol Schwary et Francine Shermaine ?
   A Elles ont toutes été embrochées dans *Buffy contre les Vampires*
   B Elles ont toutes été mordues dans *Buffy contre les Vampires*

C Elles ont toutes interprété un vampire dans *Buffy contre les Vampires*
D Elles ont toutes été nominées pour l'Emmy des « Meilleurs Artistes Capillaires » dans *Buffy contre les Vampires*

4. Lequel de ces classiques de la science-fiction n'avait pas pour personnage principal un pauvre type obligé de se glisser tous les jours dans une combinaison en caoutchouc ?
A La Créature du Lagon Noir
B E.T.
C Howard, une nouvelle race de héros
D La Créature du Marais

5. La mère d'un des acteurs de *Buffy contre les Vampires* jouait l'épouse du commissaire Maigret dans la série de la BBC. Lequel ?
A James Marsters
B Armin Shimerman
C Anthony Stewart Head
D David Boreanaz

Réponses

1. B 2. D 3. D 4. B 5. C

Episode :

« Halloween »

Le résumé

Tout le monde a besoin de s'évader de la réalité, mais le jeu de rôles prend une tournure catastrophique pour la bande à Buffy quand un vieil « ami » de Giles ensorcelle leurs costumes pour qu'ils deviennent les personnages qu'ils interprètent. Pendant que Buffy pousse des hurlements d'orfraie et passe son temps à s'évanouir dans son déguisement de noble, Alex rampe dans les buissons en se prenant pour Rambo et Willow se change en fantôme. Malheureusement, aucun d'eux n'est en état d'opposer une grande résistance à l'armée de goules et de monstres qui se trouve soudain à la disposition de Spike...

La version fouillée

Plus américain, tu meurs

De nos jours, les jeunes ont tendance à considérer comme appartenant à l'antiquité tout ce qui est antérieur à Nintendo. Ils recréent leurs codes de langage et d'habillement presque chaque jour ; une tendance n'a pas plus tôt émergé qu'elle est déjà passée de mode.

« Les adolescents d'aujourd'hui avalent en cours d'histoire des kyrielles de noms, de dates et d'événements sans mesurer la plage de temps pendant laquelle ils se sont développés. Après tout, dans leurs livres de classe, quelques dizaines de pages seulement séparent les jeux du cirque romains de la Bataille de Waterloo ! affirme le folkloriste Peter Walkins. Un de mes élèves m'a dit récemment que

Qui fait quoi ?

Numéro de production de l'épisode :
(Titre original : *Halloween*) 5V06
Date de première diffusion aux USA :
27 octobre 1997
Scénariste :
Carl Ellsworth
Réalisateur :
Bruce Seth Green

Distribution

Buffy Summers	Sarah Michelle Gellar
Alexandre Harris	Nicholas Brendon
Willow Rosenberg	Alyson Hannigan
Cordélia Chase	Charisma Carpenter
Rupert Giles	Anthony Stewart Head

Invités

Angel	David Boreanaz
Oz	Seth Green
Spike	James Marsters
Drusilla	Juliet Landau
Proviseur Snyder	Armin Shimerman
Ethan Rayne	Robin Sachs

Cromwell s'en serait mieux sorti en Angleterre s'il avait fait construire davantage de murs par Hadrien. Il ne réalise pas que l'époque médiévale a commencé environ un millier d'années après la mort de celui-ci ! »

C'est cette perception temporelle erronée qui, selon Wilkins, explique la croyance populaire selon laquelle Halloween est une ancienne coutume que les confiseurs auraient dépoussiérée pour se l'approprier à des fins commerciales. « Certains élèves me demandent encore pourquoi les druides perdaient du temps à sculpter des citrouilles ! Parce qu'ils ont entendu des récits d'Halloween toute leur vie, ils les tiennent pour vrais, et même les plus calés ne réfléchissent pas au fait que les druides auraient dû traverser la moitié de la planète pour mettre la main sur une citrouille ! Celles-ci sont typiques du Nouveau Monde, et les seuls Européens qui aient foulé ces rivages à l'époque des druides étaient les Vikings ! »

Perché en haut d'un promontoire

rocheux surplombant une des premières zones habitées de l'Amérique du Nord, Wilkins compte sur ses doigts les figures d'Halloween traditionnelles. « Les citrouilles, les chats noirs, les druides, les sorcières, les bonbons et, bien sûr, les

Les enseignements de Buffy

Leçon de mode de la semaine :

† Ne croyez pas vous en tirer sans un bon coiffeur parce que vous êtes la Tueuse.

† « Un coquard, ça se guérit ; mais une réputation de lâche, ça dure toute une vie » – Alex

† Fabriquer son costume soi-même n'est pas nécessairement une mauvaise chose, surtout à Sunnydale.

† Il est très mesquin d'offrir des brosses à dents plutôt que des bonbons aux enfants qui viennent quémander à votre porte.

† Les hommes qui portent des mousquets sont irrésistibles… pour les jeunes filles qui se croient en 1775.

morts : fantômes, squelettes ou vampires. Ces derniers craignaient Halloween parce que les âmes libérées cette nuit-là sont aussi affamées et avides que la leur. Mais pour rassembler tous ces éléments et en faire une légende cohérente, nous serions obligés d'ignorer d'importants faits historiques. »

« Les citrouilles sculptées ne sont apparues qu'au XVIe siècle. Les chats, de quelque couleur qu'ils soient, ne se sont répandus en Grande-Bretagne qu'à partir du XXe siècle et n'ont jamais été très présents en Irlande, qui est pourtant citée comme la source de toutes les traditions d'Halloween. En fait, je ne crois pas qu'il soit fait mention d'un seul de ces animaux dans un récit vraisemblable remontant à plus de deux siècles, alors j'ai du mal à croire que les druides les intégraient à des rituels vieux de deux millénaires ! »

« Les sorcières sont le fléau de tout historien qui se respecte. (Wilkins désigne le paysage qui s'étend à ses pieds.) Dans cette baie, on peut trouver des descendants de familles anglaises, écossaises, irlandaises et hollandaises. Ils ont fait l'amalgame de toutes les histoires qu'ils ont jamais entendues racontées par la bouche de leurs grands-parents. Du coup, il devient presque impossible de distinguer le vrai du faux, surtout depuis que les néopaïens ont développé leur propre courant de pensée. »

« Dans les Basses-Terres, le terme de sorcière désignait sans doute une sage-femme, sans aucune connotation magique. Au Pays de Galles, des charmes mineurs (par exemple, celui qui permettait au lait de ne pas tourner) apparaissent dans de nombreux livres de référence, mais les pratiques plus élaborées, comme la divination, étaient proscrites. Il n'est même pas possible d'établir une définition satisfaisante du mot « sorcière » ! Alors, comment vérifier le fondement des histoires de sabbat et de balais volants, surtout quand elles viennent de gens qui n'espèrent qu'une chose : passer à la télé ou dans les journaux ? »

« Les vampires ? Leurs origines sont encore plus obscures, mais ils n'ont aucun rapport avec Halloween. D'un point de vue historique, Halloween est un festival païen qui se déroulait aux environs du 31 octobre et servait à remercier la nature de la récolte de l'année. Mais on ne peut pas dire qu'il soit d'origine druidique ou wiccane. Toutes les sociétés agraires célébraient autrefois le début de l'automne, pas forcément en le liant aux morts. »

« Nous savons aussi que la Toussaint avait autrefois lieu le 13 mai. Comme beaucoup de fêtes chrétiennes (Noël constituant l'exemple le plus flagrant), elle a été déplacée pour des raisons pratiques. Au VIIe siècle, on la célébrait le 21 février. Ce n'est qu'à partir de 835 qu'elle fut fixée au 1er novembre, et que commença le mélange des traditions. La conquête romaine fut un processus lent, qui n'atteignit sans doute jamais l'Irlande. Le christianisme n'était pas universel à l'époque, et les anciennes pratiques ne seraient pas tombées en désuétude du jour au lendemain. Evoquer le dieu romain Janus était sans doute assez approprié, mais de nos jours, qui a entendu parler de lui ? »

« Pour expliquer notre Halloween moderne, on peut tabler sur la combinaison de la Toussaint, — traditionnellement liée aux morts —, des fêtes célébrant la fin des récoltes et du début de la nouvelle année celtique, dont la date était également le 1er novembre. »

Et pour les bonbons et les costumes ? « Même si on refuse de croire que l'affaire part d'une conspiration des fabricants de confiserie et de déguisements, il est très difficile de leur trouver un fondement historique. Tout a vraiment commencé aux Etats-Unis. En Angleterre, jamais vous ne rencontrerez d'enfants qui frappent à toutes les portes en réclamant des bonbons pour se tenir tranquilles ! »

« Ici, en revanche, vous trouverez des dizaines d'articles de journaux remontant aux années 30 et évoquant une fête similaire à celle que nous connaissons aujourd'hui. A l'époque, on l'appelait La Nuit des Mendiants. Elle n'avait rien de traditionnel, et visait juste à détourner les jeunes gens de leur envie de jouer un maximum de mauvais tours ce soir-là. Dans les villes, le vandalisme pouvait atteindre des sommets effrayants. Les bonbons permettaient d'acheter un peu de tranquillité. Quant aux Canadiens, ils ne sont jamais passés par cette étape ; ils ont tout de suite adopté le principe de la distribution de sucreries sans contrepartie aucune. »

Donc, Halloween tel que nous le connaissons n'existe que depuis les années 30 ? « Beaucoup de cultures nordiques avaient imaginé des célébrations pour s'amuser un dernier coup avant l'arrivée d'un rude et long hiver. Certaines avaient des connotations religieuses ; d'autres, comme le Halloween américain, étaient purement politiques. L'histoire et le folklore ne sont pas des sciences figées : nous les créons chaque jour. »

L'aviez-vous remarqué ?

On pourrait croire qu'un type ayant plus d'un siècle d'expérience serait capable de faire fonctionner un magnétoscope… Mais non. Observez la cassette quand Spike ordonne à son serviteur de rembobiner : elle zappe directement sur la fin du combat, au moment où Buffy enfonce le manche d'une pancarte dans la poitrine d'un vampire. Spike, la prochaine fois, tu engageras un lycéen pour s'occuper de ton équipement audio-vidéo… si tu ne les as pas tous massacrés d'ici là.

•

Willow doit être l'un des fantômes les plus doués de tous les temps. Bien qu'elle affirme à Giles ne pas pouvoir tourner les pages d'un livre, elle réussit à faire frémir les rideaux, et surtout à refermer une porte derrière elle.

Quizz de l'apprentie tueuse

Questions

1. Quel acteur est apparu sous son propre nom dans un épisode de *Buffy contre les Vampires* ?
   A Larry Bagby
   B Eric Saiet
   C Robin Sachs
   D Danny Strong

2. Lequel des titres suivants n'est pas celui d'un des films de la série *Halloween* ?
   A *Halloween : The Revenge of Laurie Strode*
   B *Halloween : The Return of Michael Myers*
   C *Halloween : Life in the Fast Lane*
   D *Halloween : Season of the Witch*

3. Quel acteur de *Buffy contre les Vampires* a un tatouage dans le dos ?
   A Sarah Michelle Gellar
   B Alyson Hannigan
   C Nicholas Brendon
   D David Boreanaz

4. Quel est le nom de la fête druidique qui tombe le même jour qu'Halloween ?
   A Sabbat
   B Samhain
   C Beltane
   D Lammas

5. Lequel des noms suivants n'est pas celui d'un groupe réel ?
   A Velvet Chain
   B Four Star Mary
   C Dingoes Ate My Baby
   D Nickel

Réponses

1. A 2. C 3. A 4. B 5. C

Episode :

« Mensonge »

Le résumé

Juste au moment où Billy Fordham, pour qui Buffy avait le béguin du temps où elle habitait Los Angeles, fait son apparition à Sunnydale, Spike et Drusilla redoublent d'imagination pour semer la terreur en ville. Mais bizarrement, c'est Ford qui tape le plus sur les nerfs d'Angel. Buffy pense que son petit ami est simplement jaloux ; elle a davantage de mal à ignorer les mises en garde de Willow et de Giles.

La version fouillée

Les apprentis vampires

Sexy. Séduisant. Immortel. Doté de pouvoirs extraordinaires, n'obéissant à personne, au-delà des lois et des tabous de la société, le vampire suscite chez certains humains un désir brûlant d'explorer des rivages interdits. La littérature qui s'est développée autour de lui explore de nombreux concepts : terreur, bien sûr, mais aussi romance, suspense ou occultisme.

Il combine le sexe et le pouvoir à un mystère que lui envient beaucoup de jeunes gens tout de noir vêtus. Les vampires sont les anarchistes suprêmes, les rebelles ultimes. Pour peu qu'ils soient également mélancoliques, pleins de rage, attirés par les bas-fonds de la société et hantés par l'idée de la mort, c'est fou le nombre d'adolescents qui peuvent s'identifier à eux.

Qui fait quoi ?

Numéro de production de l'épisode :
(Titre original : *Lie to Me*) 5V07
Date de première diffusion aux USA :
3 novembre 1997
Scénariste :
Joss Whedon
Réalisateur :
Joss Whedon

Distribution

Buffy Summers	Sarah Michelle Gellar
Alexandre Harris	Nicholas Brendon
Willow Rosenberg	Alyson Hannigan
Cordélia Chase	Charisma Carpenter
Rupert Giles	Anthony Stewart Head

Invités

Angel	David Boreanaz
Jenny Calendar	Robia La Morte
Spike	James Marsters
Drusilla	Juliet Landau
Billy Fordham	Jason Behr
Marvin (« Diego »)	Jarrad Paul
Chanterelle	Julia Lee
James	Will Rothhaar

Les clubs de la sous-culture gothique, présentée de façon assez édulcorée dans « Mensonge », furent pour de nombreux adolescents blasés un refuge où s'imbiber d'une atmosphère sombre et décadente, révéler leur face cachée et se vautrer dans leur propre désenchantement. Le visage dissimulé sous une épaisse couche de maquillage, ils reprirent à leur compte les aspects vaguement sadomasochistes du mouvement punk. Cuir, soie et chaînes se frottèrent au brocart et au velours favorisés par ceux qui souhaitaient retrouver un contexte gothique historique. (Les fidèles de Ford sont particulièrement connus pour leur goût vestimentaire atroce !)

Ce mouvement ne pouvait avoir de figure de proue plus appropriée que le vampire. Le temps que les désillusionnés des années 60 échangent leurs T-shirts *tie and dye* contre de la dentelle noire et s'aventurent dans les clubs de plus en plus nombreux, le néo-gothique s'était transformé en un gigantesque jeu de rôles, où tout le monde voulait interpréter un mort-vivant.

Quand le grand public prit conscience de l'existence de ce mouvement, Sally Jessy Raphaël et toute l'engeance des présentateurs de talk-shows bondirent

Les enseignements de Buffy

† La jalousie et la méfiance ne sont pas toujours des défauts.

† Il y a peu de chance pour que votre nouveau petit ami apprécie l'ancien.

† L'adage « mains froides, cœur chaud » ne s'applique pas vraiment aux vampires.

† Tabassez sa Tueuse, menacez sa bien-aimée, mais surtout, ne volez jamais les livres d'un Observateur.

† Les foules en colère ne sont plus ce qu'elles étaient.

† « Vérifie la serrure » prend une nouvelle signification à l'intérieur d'une cage.

sur l'occasion de choquer leurs spectateurs en donnant la parole à une minorité de fanatiques ayant oublié où se situait la frontière entre le jeu de rôles et la réalité. La plupart des gens qui fréquentaient les clubs n'y voyaient qu'une occasion d'oublier le quotidien et de se déguiser pour passer un bon moment, mais les « cultistes vampiriques » affirmaient consommer le sang de leurs pairs. Ce que les jeunes filles fans de gothique posent sur leur coiffeuse à la place d'une bouteille de parfum.

Une adolescente rebaptisée Lothella, aux cheveux blonds décolorés et à la langue piercée, raconta devant les caméras comment son petit ami et elle s'entaillaient mutuellement avant de faire l'amour. Le spécialiste invité lui suggéra un exorcisme ; partout dans le pays, les spectateurs hochèrent la tête sans penser qu'une visite chez le psy aurait sans doute été plus appropriée.

L'opinion publique fut profondément choquée par un meurtre présentant des allures de rituel gothique. Plus tard, quand les coupables avouèrent qu'ils avaient maquillé leur crime pour pouvoir plaider la folie au cas où ils se feraient prendre, les journaux qui avaient crié à l'attaque vampirique quelques mois plus tôt accordèrent tout juste quelques lignes à cette confession.

Les gothiques sont fascinés par la mort, comme on le devine sans peine à la vue de leurs vêtements noirs et de leur visage aussi pâle que celui d'un cadavre. Cette obsession ne s'est pas bornée à créer l'atmosphère de leur mouvement ; elle a aussi imprégné la psyché de beaucoup d'adolescents, membres de la classe d'âge la plus vulnérable aux idées de suicide.

Selon les psychologues, huit adolescents sur dix y ont déjà pensé. La plupart se contentent d'imaginer leur famille et leurs amis en pleurs autour de leur cercueil, et de se dire : « Ce serait bien fait pour eux ». Certains, vraiment déprimés et ne voyant pas d'autre issue, finissent par passer à l'acte, mais sans doute pas avec l'idée d'atteindre l'immortalité par le vampirisme.

Maire Winter, psychologue spécialisée dans les problèmes des adolescents, applaudit la fascination des gothiques pour la mort. « Dans une société qui refoule ses peurs les plus ancestrales, ils arrivent à mettre en scène leurs pulsions les plus négatives pour les sublimer, puis à les ranger au placard en même temps que leur costume. »

« De la même façon, les connotations sexuelles de leur mouvement leur fournissent une soupape de sécurité. C'est comme un épisode de *Buffy contre les Vampires* : une chance de s'amuser et de se faire peur pendant quelques heures, puis de rentrer chez soi et de tout oublier. Les gens qui ne répriment pas leurs fantasmes sont les moins susceptibles de les réaliser d'une façon destructrice. »

Peter Halling, un collègue de Maire, n'en est pas aussi certain. « Malgré leur attitude de petits durs, la plupart de ses clients viennent de familles assez stables.

Mais ce n'est pas le cas de tous les gothiques. Prenez une gamine qui vit dans la rue depuis l'âge de onze ans et se prostitue pour survivre. Dans sa vie, le sadomasochisme n'est pas un fantasme, mais une réalité qu'elle subit trois fois par nuit pour soixante malheureux dollars, dont elle devra reverser la moitié à son mac. Pour elle, le milieu gothique n'est pas une cour de récréation. »

Halling, qui travaillait à Miami pendant l'apogée du mouvement gothique, trouve très réalistes les personnages de « Mensonge ». « Il existe des tas de Chanterelle dans les clubs, des jeunes gens si blasés que toute expérience nouvelle, dût-elle entraîner leur mort, leur semble une amélioration. Faute de garde-fous, certains s'immergent totalement dans leur fantasme. Ils sont vulnérables et trouveront toujours quelqu'un pour en profiter. Or, dans la vie réelle, il n'y aura pas de Buffy pour les sauver ! »

L'aviez-vous remarqué ?

La caméra est une frontière de plus en plus mince... Quelques semaines avant qu'Anthony Stewart Head n'annonce qu'il espérait réaliser plusieurs épisodes de la troisième saison de *Buffy contre les Vampires*, Todd McIntosh, le maquilleur en chef de la série, est apparu à l'écran sous les traits du « vampire » qui salue Willow alors qu'elle, Alex et Giles passent devant son cercueil pour entrer dans le club.

•

Le Comte Dracula a été immortalisé dans près de soixante-dix films. Certains, comme le satirique – et classé X – *Intercourse with a Vampire* ne possèdent qu'un rapport lointain avec le roman de Bram Stoker, mais la version que Billy Fordham connaît par cœur est beaucoup plus traditionnelle, puisque c'est celle qui met en scène Jack Palance dans le *Dracula* de 1973.

Quizz de l'apprentie tueuse

Questions

1. Lequel de ces cultes est connu pour son orientation vampirique ?
   A Le Temple du Soleil
   B Le Temple du Peuple
   C L'Armée du Salut
   D La Callax Phalanx

2. Lesquels de ces films montraient des vampires capables de voler ?
   A *Génération Perdue*
   B *Entretien avec un Vampire*
   C *Le Vampire de ces Dames*
   D *The Night Stalker*

3. Qui n'était pas un tueur de vampires fictif ?
   A R.M. Renfield
   B Captain Kronos
   C Blade
   D Abraham Van Helsing

4. Lequel de ces Sutherland n'a aucun rapport avec un film axé sur les vampires ?
   A Kristine
   B Kalvin
   C Kiefer
   D Donald

5. Qui est le seul acteur qui doit ôter ses dents pointues avant de commencer le tournage de *Buffy contre les Vampires* ?
   A Anthony Stewart Head
   B Armin Shimerman
   C Kristine Sutherland
   D Robia La Morte

Réponses

1. D 2. A, B et C 3. A 4. B 5. B

Episode :

« La Face Cachée »

Le résumé

Le passé de Giles revient le hanter... lui, et tous les autres habitants de Sunnydale, quand un démon élimine ses anciens camarades de fac et décide de prendre des vacances sur la Bouche de l'Enfer. Encore des ennuis en perspective pour la bande à Buffy ! Le jugement de son Observateur étant faussé par son implication personnelle et par la culpabilité qu'il traîne depuis vingt ans, la Tueuse tente de régler cette affaire toute seule...

La version fouillée

Quand trouver le sommeil devient difficile

Pour la plupart des gens, un bon lit moelleux, des draps propres et un édredon de plumes constituent le meilleur refuge qui soit à la fin d'une dure journée. Les rêves, visions inoffensives créées par leur subconscient, ne sont que de plaisantes diversions rapidement dissipées par la lumière du jour. Même les cauchemars les plus horribles, ceux qui les poussent à se réveiller en sursaut le corps trempé de sueur, s'effacent très vite de leur mémoire.

Mais les fidèles de *Buffy contre les Vampires* savent qu'à Sunnydale, les songes opèrent sur un plan différent : celui des prémonitions qui, bonnes ou mauvaises, ne tardent généralement pas à se réaliser.

Dans l'épisode-pilote, le retour imminent du Maître provoquait des ondes de

Qui fait quoi ?

Numéro de production de l'épisode :
(Titre original : *The Dark Age*) 5V08
Date de première diffusion aux USA :
10 novembre 1997
Scénaristes : Rob Des Hotel et Dean Batali
Réalisateur : Bruce Seth Green

Distribution

Buffy Summers	Sarah Michelle Gellar
Alexandre Harris	Nicholas Brendon
Willow Rosenberg	Alyson Hannigan
Cordélia Chase	Charisma Carpenter
Rupert Giles	Anthony Stewart Head
Angel	David Boreanaz

Invités

Jenny Calendar	Robia La Morte
Ethan Rayne	Robin Sachs
Dierdre Page	Wendy Way
Philip Henry	Stuart McLean
Inspecteur Winslow	Carlease Burke
Gardien	Michael Earl Reid
Employé Morgue	Tony Sears
Cultiste	Daniel Henry Murray
Homme	John Bellucci

choc qui se répercutaient jusque dans le sommeil de Buffy. Les vampires sont peut-être monnaie courante dans les songes d'une Tueuse, mais il ne s'agissait pas là de simples rêves ou d'avertissements. La jeune fille distinguait avec une grande précision des lieux, des événements et même des gens qu'elle n'avait jamais rencontrés. Cette fois, c'est au tour de Giles de voir l'avenir pendant son sommeil.

Dans un univers peuplé de morts-vivants, de démons, de loups-garous et de créatures invisibles, les rêves prémonitoires semblent assez peu spectaculaires. Qu'est-ce qu'une petite vision comparée à un professeur qui se change en mante religieuse géante ? Si les activités nocturnes de Buffy et de Giles suscitent peu de commentaires de la part des spectateurs, c'est peut-être parce que leur contexte les rend plus faciles à accepter. Et puis, contrairement à celle des vampires, leur existence a été démontrée dans la vie réelle.

De tous les rêves prémonitoires qu'on

puisse faire, ceux qui annoncent un décès ou autre tragédie sont les plus sujets à commentaire. L'histoire de Mary Matthews, qui refusa de monter à bord du *Titanic* après l'avoir vu couler en songe, est un exemple flagrant. Son témoignage est appuyé par une lettre envoyée à sa mère peu de temps auparavant. « Même si cela semble stupide, et si je regretterai sans doute d'avoir laissé passer une occasion de naviguer sur ce splendide paquebot, mes rêves de la dernière semaine ont été trop vivaces pour que je les ignore. Dussé-je me

Les enseignements de Buffy

† La police ne fait pas de cadeaux, même aux bibliothécaires apparemment inoffensifs.

† Ecole + Samedi = Mauvais.

† Ne tournez jamais le dos à un homme qui vend des costumes d'Halloween ensorcelés.

† La décapitation n'est pas un remède universel.

forcer à monter à bord, la peur me paralyserait et me gâcherait le voyage. Je suis sûre que dans quelque temps, nous nous remémorerons cet incident ensemble et que nous en rirons... » Inutile de dire que personne n'eut envie de rire quand le *Titanic* sombra, trois semaines plus tard.

William Stead non plus ne devait pas être ravi quand l'eau glacée envahit le pont. Dix ans avant la funeste traversée, cet écrivain et journaliste avait publié *Crossing*, l'histoire d'un fabuleux navire appelé *Majestic* qui heurtait un iceberg. Les incroyables similitudes entre son roman et le naufrage du *Titanic* firent grimper les ventes en flèche, mais ne l'empêchèrent pas de se noyer.

Le président Abraham Lincoln rêvait souvent de sa propre mort. Rien d'étonnant, me direz-vous, pour un personnage public ayant fait voter des lois aussi impopulaires. Plus étonnant, en revanche, est le fait qu'il n'a pas été visité par cette prémonition. Charles Dickens, Margaret Summer-Stead, Gail Crowell et

Percival Altman-Clarke en avaient tous fait part à des proches dans leurs lettres. Voici un extrait rédigé de la main de Margaret Summer-Stead : « Je crains que notre bon président ne termine jamais son mandat. Dans mes rêves, je le vois à l'apogée de son pouvoir, entouré par une foule dont jaillira une âme en colère qui, d'une unique balle, mettra un terme à tous nos espoirs. » Et dans une missive de Crowell, écrite le même jour : « La vision de Lincoln ensanglanté gisant aux pieds d'une immense foule est si horrible que je n'arrive plus à trouver le sommeil, de peur que mon cauchemar ne se réalise un jour. »

Les propres rêves de Lincoln étaient moins détaillés concernant les circonstances de sa mort. Il savait juste qu'elle serait violente. « Je me vois emporté dans une frêle embarcation sur un fleuve bouillonnant qui m'engloutit bientôt. » En revanche, la suite lui apparaissait clairement : « Des gens se pressent à l'intérieur de la Maison Blanche, et entourent le cercueil où je suis allongé, vêtu d'un costume neuf. »

Ce qui distingue les rêves de Buffy ou de Giles de ceux de Dickens ou de Stead, c'est leur source. La plupart des gens qui

L'aviez-vous remarqué ?

Pour des lycéens américains, Alex et Buffy ont des fantasmes amoureux assez exotiques. Alex rêve d'Amy Yipp, plus connue pour ses implants mammaires que pour ses capacités d'actrice (une sorte de Pamela Anderson originaire de Hong-Kong) ; Buffy craque pour Gavin Rossdale, chanteur et parolier du groupe britannique Bush, célèbre chez un minuscule clan de jeunes Anglais bien informés.

•

L'humour dans *Buffy contre les Vampires* peut être très subtil, comme en témoigne cette remarque de Giles quand sa Tueuse interrompt enfin ses exercices d'aérobic dans la bibliothèque : « Parfait. Le reste est silence. » Bien que très appropriée dans le cas présent, c'est avant tout un extrait d'*Hamlet* et la réplique qui annonçait la mort de l'Observateur Merrick dans le film original.

•

Comment Cordélia a-t-elle su que la police enquêtait sur un homicide ? Elle n'était pas dans la bibliothèque pendant la première partie de l'entretien entre Giles et l'inspecteur Winslow, et on n'imagine pas le bibliothécaire se lancer dans une conversation très personnelle pendant que la jeune fille se soucie uniquement de faire sauter sa contravention. Alors, qui le lui a dit ?

•

Il y a un peu trop longtemps que Giles n'est pas rentré chez lui : il n'arrive même plus à calculer la différence d'heure entre l'Angleterre et la Californie ! Selon l'horloge fixée au mur, il a appelé chez Dierdre Page à trois heures moins le quart. Mais quand il consulte sa montre et effectue le calcul mental, il en déduit qu'il doit être cinq heures du matin à Londres ! Pour ça, il faudrait que la Californie se retrouve tout à coup dans les Açores !

croient aux rêves prémonitoires pensent qu'ils nous sont, comme les autres, envoyés par notre inconscient : celui-ci aurait la capacité d'assembler des détails apparemment anodins et d'en tirer les conclusions qui s'imposent, puis de nous restituer ces dernières sous forme de songe. D'autres croient que les rêves prémonitoires nous sont soufflés à l'oreille par notre ange gardien.

Mais aucun de ces scénarios ne colle avec les événements du Buffyvers. Les visions de Giles lui sont envoyées par un démon et par un fou. Quant aux révélations nocturnes dont a bénéficié la Tueuse... Dans sa vie éveillée, qu'est-ce qui aurait bien pu lui faire deviner les paroles de sa mère ou la vaisselle cassée qui s'ensuivrait ? Nous devons en conclure que même dans leur sommeil, Buffy et son Observateur restent intimement liés avec les créatures qu'ils traquent et haïssent plus que tout au monde. Même si ce n'est pas une perspective très réjouissante...

Quizz de l'apprentie tueuse

Questions

1. Lequel des noms suivants n'est pas celui d'un ordre mystique ?
   A L'Ordre Hermétique de l'Aube Dorée
   B L'Ordre Ancien et Mystique de la Rose-Croix
   C L'Honorable et Mystique Ordre d'Eyghon
   D L'Ordre de la Pierre Cubique

2. Qu'ont en commun Robin Beauchene, Michael F. Blake, Alan Friedman, Dayne Johnson, Margie Latinopoulos, John Maldonado, Todd McIntosh, Brigette A. Myre, Gerald Quist, Craig Reardon, Mark Shostrom, John Vulich et John Wheaton ?
   A Ils ont tous reçu un Emmy pour le Meilleur Maquillage dans une Série alors qu'ils travaillaient sur *Buffy contre les Vampires*.
   B Ils ont tous eu le cœur transpercé à l'écran.
   C Ce sont eux qui fournissent les cris de fond pour la série.
   D Ce sont eux qui ont créé l'effet spécial permettant aux vampires de tomber en poussière dans la série.

3. Qui est né le 20 mai 1956 ?
   - A Ken Lerner
   - B James Marsters
   - C David Boreanaz
   - D Dean Butler

4. Quel acteur a payé pour interpréter sur scène une chanson sur les travestis ?
   - A Robin Sachs
   - B Robia La Morte
   - C David Boreanaz
   - D Anthony Stewart Head

5. Lequel de ces acteurs s'est fait tatouer un caractère chinois ?
   - A David Boreanaz
   - B Sarah Michelle Gellar
   - C Robia La Morte
   - D Anthony Stewart Head

Réponses

1. C 2. A 3. D 4. D 5. B

Episode :

« Kendra » (1re et 2e parties)

Le résumé

Première partie : Les Journées d'Orientation ne réservent aucun mystère ni aucune révélation à Buffy. Sa carrière est toute tracée ; elle ne peut échapper à son destin de Tueuse. Pendant ce temps, Willow se fait courtiser par les mystérieux représentants d'une grande entreprise informatique, Alex envisage mornement un avenir de gardien de prison et Cordélia se demande si elle doit devenir acheteuse ou conférencière. Des assassins sortis d'on ne sait où attaquent Buffy et Angel. Spike et Drusilla sont très occupés à faire piller des tombeaux et des bibliothèques par leurs séides. Encore une journée bien remplie à Sunnydale...

Deuxième partie : Les perspectives de carrière de Buffy s'élargissent soudain avec l'apparition d'une autre jeune fille qui porte un sérieux coup à la mythologie de la série, en se présentant comme Kendra la Tueuse de Vampires ! Bizarrement, Buffy ne semble guère s'en réjouir et traverse une crise d'identité. Il est déjà assez difficile pour elle d'échapper à l'Ordre de Taraka, de déjouer les plans de Spike pour rendre la santé à sa compagne et de sauver Angel. De quoi donner à la plus motivée des Tueuses l'envie de prendre sa retraite anticipée...

La version fouillée

Quand je serai grande, je veux être la Tueuse

A la maternelle, la moitié des petits garçons rêvent de devenir policiers et la moitié des petites filles infirmières. A l'école primaire, un quart des garçons veulent être astronautes et autant de filles danseuses ou top models. Les parents peuvent s'estimer heureux quand ils n'ont pas parmi leur progéniture un aspirant boxeur ou bassiste dans un groupe de rock. Quatre-vingt-dix pour cent d'entre eux souhaitent voir leurs enfants embrasser la profession de médecin, d'avocat ou de comptable ; les enfants, eux, considèrent ces options comme désespérément ennuyeuses. Mais personne ne rêve de voir sa fille de dix-sept ans passer ses nuits dans les cimetières avec les poches remplies d'objets en bois pointus. Même Buffy sait reconnaître une impasse professionnelle quand elle en voit une…

Quelles que soient les aspirations contradictoires des parents et de leurs enfants, il semble presque inévitable qu'à notre époque, ce soient les ordinateurs qui jugent froidement des aptitudes à

Qui fait quoi ?

Numéro de production des épisodes :
(Titre original : *What's My Line ?*) 5V09/5V10
Date de première diffusion aux USA :
17 et 21 novembre 1997
Scénaristes :
Howard Gordon et Marti Noxon (1re partie),
Marti Noxon (2e partie)
Réalisateurs :
David Solomon (1re partie),
David Semel (2e partie)

Distribution (1re partie)

Buffy Summers	Sarah Michelle Gellar
Alexandre Harris	Nicholas Brendon
Willow Rosenberg	Alyson Hannigan
Cordélia Chase	Charisma Carpenter
Rupert Giles	Anthony Stewart Head

Invités	
Angel	David Boreanaz
Spike	James Marsters
Drusilla	Juliet Landau
Oz	Seth Green
Proviseur Snyder	Armin Shimerman
Dalton	Eric Saiet
Kendra	Bianca Lawson
Norman Pfister	Kelly Connell
Mme Kalish	M.B. Hutton
Homme	Michael Rothhaar

Distribution (2e partie)	
Buffy Summers	Sarah Michelle Gellar
Alexandre Harris	Nicholas Brendon
Willow Rosenberg	Alyson Hannigan
Cordélia Chase	Charisma Carpenter
Rupert Giles	Anthony Stewart Head

Invités	
Angel	David Boreanaz
Spike	James Marsters
Drusilla	Juliet Landau
Oz	Seth Green
Kendra	Bianca Lawson
Willy	Saverio Guerra
Otage	Danny Strong
Patrice	Spice Williams

exercer tel ou tel métier. Dans certains établissements, les tests d'orientation commencent dès la sixième et ne cessent de ballotter les malheureux élèves entre des carrières scientifiques ou littéraires, selon le jugement d'une machine qui sera déjà obsolète quand ils passeront leur bac. Pas étonnant qu'Alex ne se sente guère inspiré par la profession qu'on lui promet.

Heureusement, la plupart des tests ne

Les enseignements de Buffy

† Ne faites jamais confiance à un vampire érudit.

† Si vous êtes la Tueuse, des patins à glace peuvent se transformer en outil de travail.

† N'abandonnez jamais votre boulot diurne.

† La religion, ça fait faire des trucs bizarres.

† Ne vous croyez jamais irremplaçable.

† S'en prendre au petit ami d'une Tueuse reste le meilleur moyen de la foutre en rogne.

suggèrent pas à quelqu'un de devenir paysagiste parce qu'il aime les arbres. Certains d'entre eux, surtout ceux qui tiennent compte des différents traits de la personnalité, peuvent même produire des résultats étonnamment fiables.

ProPlus, un des programmes les plus utilisés (forcément, son accès est gratuit...) a pondu des suggestions de carrière telles qu'« artiste » pour Van Gogh, « administrateur » pour Ronald Reagan, « officier dans l'armée » pour Colin Powell et « musicien » pour Rod Stewart. Bizarrement, « Tueuse » ne figure pas parmi les options disponibles. Mais en répondant au questionnaire à la place de Buffy, ses créateurs ont obtenu les réponses suivantes : « sauveteur » et « inspecteur de police ». Surprise, surprise...

Et vous ? Etes-vous taillé pour une carrière de Tueuse ? Pour le savoir, cochez la réponse la plus appropriée aux questions suivantes :

Etes-vous plus attiré(e) par un mode de pensée :

❑ traditionnel

❑ imaginatif*

Vous préférez que vos conversations avec les autres soient de nature :

❑ objective

❑ personnelle*

Vous préférez que tout ce qui vous concerne soit :

❑ clairement défini

❑ sujet à improvisation*

A l'intérieur de votre groupe d'amis, êtes-vous :

❑ toujours au courant des derniers ragots*

❑ le genre de personne étonnée par des nouvelles vieilles d'une semaine

Vous êtes plus attiré(e) par :

❑ la controverse*

❑ la concorde

Vous êtes du genre à :

❑ provoquer une conversation*

❑ attendre que les autres viennent vous parler

Vous gérez vos affaires courantes de manière :

❑ traditionnelle

❑ expérimentale*

Si un enfant qui mourait de faim volait un morceau de pain, vous le jugeriez :

❑ selon la loi, et pas en fonction de circonstances spécifiques

❑ selon les circonstances spécifiques plutôt que d'après la loi*

Au cours d'une discussion, vous vous laissez plus facilement convaincre par :

❑ les faits

❑ les facteurs émotionnels*

Etes-vous plus :

❑ réaliste que spéculatif

❑ spéculatif que réaliste*

Préférez-vous que votre emploi du temps :

❑ soit clairement défini et minuté

❑ vous laisse vous organiser comme vous l'entendez*

Préférez-vous :

❑ avoir la tête dans les nuages*

❑ accomplir une routine satisfaisante

Au téléphone :

❑ vous improvisez*

❑ vous avez préparé à l'avance ce que vous alliez dire

Quand vous sortez le soir :

❑ vous détestez le moment où vous devez rentrer chez vous*

❑ vous en avez vite marre et ne songez plus qu'à regagner vos pénates

Chez les autres, vous êtes davantage impressionné(e) par :

❑ leurs principes

❑ leurs réponses émotionnelles*

Quand vous sortez le soir, vous :

❑ vous mêlez au maximum de gens

❑ préférez rester avec vos amis habituels*

Vous prenez vos décisions de manière :

- ❑ impulsive*
- ❑ réfléchie

Durant vos loisirs, vous êtes :

- ❑ peu pressé(e)*
- ❑ toujours ponctuel (le)

Vous êtes plus intéressé(e) :

- ❑ par les faits
- ❑ par les possibilités*

Dans un travail, ce que vous préférez c'est :

- ❑ le commencer
- ❑ le finir*

Essayez de répondre à ces questions pour tous les membres de la bande à Buffy, et vous vous apercevrez que les scénaristes ont fait beaucoup d'efforts pour créer des personnages vivants et crédibles.

Plus vous avez choisi de réponses suivies d'un *, plus vous vous rapprochez de la Tueuse ; moins vous en avez choisi, plus vous vous rapprochez de Willow. Alex, par exemple, est assez proche de sa meilleure amie. Mais étonnamment, Cordélia a plus de points communs avec Buffy qu'aucune d'elles ne voudrait l'admettre !

L'aviez-vous remarqué ?

La fenêtre où passe Buffy, y compris en l'absence de sa mère, doit être magique. Quand elle revient pour trouver Angel en train de faire un câlin à sa peluche M. Toto, le store est relevé. Personne ne le baisse, mais quand la jeune fille s'assoit sur le bord de son lit avec son petit ami, il est fermé. Puis Buffy lève la tête vers le miroir et fait remarquer combien il est bizarre de ne pas y voir Angel. Trop absorbée par cette constatation, elle ne voit pas que le store est relevé dans le miroir et baissé quand elle se détourne.

•

Observez le premier assassin en train de descendre du car. Vous voyez tous ces signes : « Attention à la marche » ? Dans la prise de vue suivante, ils ont disparu et les marches elles-mêmes ont changé de couleur. Pourquoi a-t-on utilisé deux cars différents pour une scène qui dure moins de vingt secondes ?

•

Temps nécessaire pour que le bras de M. Pfister retrouve son apparence humaine : moins de dix secondes. Pourtant, au court de ce bref intervalle, ses manches changent de longueur trois fois.

•

Dans la seconde partie de l'épisode, après qu'Alex a écrasé un ver dans un livre de biologie (bravo pour l'ironie !) celui-ci se volatilise de la table avant même que le jeune homme puisse se rasseoir.

•

Tout le monde, y compris Buffy, a entendu parler des décodeurs de Captain Midnight. En fait, on n'est même pas sûr qu'ils aient réellement existé.

•

« Kendra » est le premier épisode où on remarque sur la main d'Angel l'anneau *claddagh* rendu tristement célèbre par « Innocence ». Pour les curieux, il est tourné vers l'intérieur.

•

Dans la dernière scène de la première partie, Kendra réussit à projeter Buffy contre la table basse d'Angel, qui se brise en mille morceaux. Mais avant que la Tueuse ait pu se relever, le plancher est de nouveau complètement propre, sans le moindre débris en vue !

•

Et au fait, comment Kendra, qui vient d'arriver en ville, a-t-elle su où habitait Angel ?

•

Un minutage précis est important, surtout quand on essaye de reconstituer un rituel n'ayant pas été effectué depuis des lustres. Après avoir attendu tout ce temps, on pourrait s'attendre à ce que les participants gardent un œil sur leur montre, pas vrai ? Ou au moins sur le ciel. Dans ce cas, pourquoi Giles affirme-t-il que le rituel doit avoir lieu pendant la nouvelle lune, alors que Spike insiste sur le fait qu'il se déroulera une nuit de pleine lune ?

•

Pourquoi l'eau bénite qui brûle si horriblement la poitrine d'Angel n'en fait-elle pas autant avec les doigts de Drusilla qui la lui frotte dessus ?

•

« Bas les pattes, ranger rose ! » Une allusion pour les initiés : Sophia Crawford, qui double Sarah Michelle Gellar dans ses cascades, doublait également l'interprète du ranger rose dans le film *Mighty Power Rangers*.

Quizz de l'apprentie tueuse

Questions

1. Quelle actrice est apparue avec son père dans *Ed Wood* ?
   - A Julie Benz
   - B Juliet Landau
   - C Bianca Lawson
   - D Robia La Morte

2. Qui a remporté un Emmy pour la Meilleure Musique Dramatique de Série en 1998 ?
   - A Seth Green
   - B Joss Whedon
   - C Christophe Beck
   - D Nerf Herder

3. Qui a fait une voix off dans *Buffy contre les Vampires* ?
   A Joss Whedon
   B Alfred Hitchcock
   C Stephen J. Cannell
   D Chris Carter

4. Qui est né le 21 août 1961 ?
   A Anthony Stewart Head
   B Armin Shimerman
   C David Boreanaz
   D James Marsters

5. Quel producteur de télévision n'a pas créé de série vampirique ?
   A Dan Curtis
   B James Parriot
   C Aaron Spelling
   D Stephen J. Cannell

Réponses

1. B 2. C 3. A 4. D 5. D

Episode :

« Le Fiancé »

Le résumé

Aux yeux de Joyce Summers, Ted est l'homme parfait : intelligent, doté d'un boulot stable et plutôt séduisant pour quelqu'un de sa génération. Il invite toute la famille au mini-golf, offre des logiciels gratuits aux amis de Buffy et cuisine les meilleurs cookies du monde. Bref, le beau-père idéal... si ça ne vous dérange pas qu'il lise votre journal intime, qu'il vous menace et qu'il vous gifle à l'occasion. Mais comme tout le monde, y compris ses amis et son Observateur, pense que Buffy fait une crise de jalousie, personne ne veut croire que sa mort est un accident...

La version fouillée

Le bilan des morts

Beaucoup de fans furent stupéfaits par la violence de la réaction de Buffy après qu'elle eut éliminé Ted pour la première fois. Loin d'être devenue une machine à tuer, la jeune fille reste l'adolescente angoissée présentée dans le film. C'est cette facette d'elle, bien plus que ses reparties ironiques ou ses mini-jupes, qui en font un personnage attachant et crédible. Mais elle n'a pas autant de scrupules avec les vampires...

Première Saison

« Bienvenue à Sunnydale » (1re et 2e parties) **TOTAL : 7**

VICTIME	TUEUR	MÉTHODE
Nº 1 : Garçon anonyme	Darla	Morsure
Nº 2 : Jesse	Le Maître/Alex et une fille anonyme	Vampirisation. La fille le pousse sur le pieu improvisé d'Alex
Nº 3 : Videur du *Bronze*	Luke	Morsure
Nº 4 : Blonde anonyme	Luke	Morsure
Nº 5 : Vampire anonyme	Buffy	Cœur transpercé avec une queue de billard
Nº 6 : Vampire anonyme	Buffy	Décapitation avec une cymbale
Nº 7 : Luke	Buffy	Un pieu dans le dos

Si le nombre de morts vous semble élevé, souvenez-vous que c'était un épisode en deux parties.

« Sortilèges » TOTAL : 1

Bien que personne n'ait été embroché, découpé ou battu à mort durant cet épisode, et que Catherine Madison soit peut-être encore vivante quelque part, on peut supposer qu'elle ne réapparaîtra pas dans ce monde. Difficile, toutefois, d'attribuer sa disparition à une personne en particulier. Giles a fait l'invocation, Buffy lui a tapé dessus à la moindre occasion, mais le sort qui l'a emprisonnée dans le trophée avait été lancé par la mère d'Amy elle-même ! Peut-on appeler ça un suicide magique ?

« Le Chouchou du Prof » TOTAL : 3

VICTIME	TUEUR	MÉTHODE
Nº 1 : docteur Gregory	Mante religieuse	Décapitation
Nº 2 : Anonyme	Buffy	Cœur transpercé avec un piquet
Nº 3 : Fausse Mlle French	Buffy	Découpée en morceaux avec un gros couteau

Malheureusement, les exécutions fantasmées, comme celle qu'imagine Alex pendant le pré-générique, ne comptent pas plus que les baisers fantasmés !

« Un Premier Rendez-Vous Manqué » **TOTAL : 6**

VICTIME	TUEUR	MÉTHODE
Nº 1 : Vampire anonyme	Buffy	Cœur transpercé dans la tombe
Nº 2 à 6 : Cinq passagers du minibus	Vampires anonymes	Morsure
Nº 4 : Passager changé en vampire	Buffy	Incinération à la morgue (il s'agit de sa seconde mort)

« La Meute » **TOTAL : 2**

VICTIME	TUEUR	MÉTHODE
Nº 1 : Herbert la mascotte	Alex et la meute	Cannibalisme
Nº 2 : Proviseur Flutie	La meute	Cannibalisme

« Alias Angélus » **TOTAL : 1**

VICTIME	TUEUR	MÉTHODE
Darla	Angel	Cœur transpercé par un carreau d'arbalète

« Moloch » **TOTAL : 2**

VICTIME	TUEUR	MÉTHODE
Nº 1 : Dave	Fritz	Pendaison maquillée en suicide
Nº 2 : Fritz	Moloch	Vertèbres brisées

« La Marionnette » **TOTAL : 4**

VICTIME	TUEUR	MÉTHODE
Nº 1 : Emily la danseuse	Démon (Marc)	Cœur arraché
Nº 2 : Morgan	Démon (Marc)	Cerveau arraché
Nº 3 : Sid	Sid	Suicide par exécution de démon
Nº 4 : Démon (Marc/Alex)	Sid	Cœur transpercé, puis guillotiné

Le compte de cet épisode est un peu difficile à réaliser, mais dans le Buffyvers, il ne semble pas si étonnant que deux personnes différentes tuent le même démon et que le meurtre du démon par Sid soit aussi un suicide.

« Billy » TOTAL : 0

Pas évident de déterminer ce qui compte ou pas dans un épisode où tout est censé se produire dans les rêves des héros – c'est comme se demander si Bobby est vraiment mort dans *Dallas* ou si Pam l'a seulement imaginé. Disons seulement cela : quand les choses sont revenues à la normale, personne n'avait disparu pour de bon… Même si Buffy était morte en 1997 dans le cauchemar de Giles.

« Portée Disparue » TOTAL : 0

Cet épisode aurait pu être meurtrier. Marcie Ross n'avait aucun moyen de savoir qu'Harmony ne se romprait pas le cou en tombant dans l'escalier, ni que le crâne de Mitch était assez solide pour résister à un coup de batte de base-ball ou que Buffy survivrait à son passage à travers un plafond ! En tout cas, on peut affirmer qu'elle n'avait aucune intention de sauver Giles, Willow et Alex de la chaufferie remplie de gaz. Seule la chance l'a empêchée de se rendre coupable d'homicides.

« Le Manuscrit » **TOTAL : 8**

VICTIME	TUEUR	MÉTHODE
Nº 1 : Vampire anonyme	Buffy	Cœur transpercé
Nº 2 à 5 : Kevin et trois autres membres du club audio-vidéo	Vampires anonymes	Morsure
Nº 6 : Buffy	Le Maître	Noyade
Nº 7 : Vampire anonyme	Angel	Cœur transpercé
Nº 8 : Le Maître	Buffy	Cœur transpercé

Nous ne mentionnons ici que les exécutions visibles à l'écran ; quand Buffy annonce dans le pré-générique qu'elle en est à son troisième vampire de la nuit, nous ne prenons pas en compte les deux premiers.
Avant que les fans pointilleux ne protestent, précisons que l'activation de Kendra indique que Buffy était bien morte, même si ça n'a pas duré longtemps.

Les enseignements de Buffy

† Un mini-golf n'est pas l'endroit idéal pour donner ou recevoir des leçons.

† N'acceptez jamais de bonbons… ou de biscuits… des étrangers qui veulent sortir avec votre mère.

† Tuer le fiancé de sa mère est un moyen très sûr de se faire priver de sortie.

† Selon les circonstances, une lime à ongles peut être aussi efficace qu'un pieu.

† Si des étincelles commencent à voler – littéralement – quand vous embrassez quelqu'un, mieux vaut arrêter tout de suite.

† Des gilets en tweed pourraient faire économiser une fortune aux services de police.

Deuxième Saison

« La Métamorphose de Buffy » **TOTAL : 6**

VICTIME	TUEUR	MÉTHODE
Nº 1 : Vampire anonyme	Buffy	Cœur transpercé par branche
Nº 2 : Vampire anonyme	Buffy	Cœur transpercé
Nº 3 : Femelle vampire anonyme	Buffy	Cœur transpercé
Nº 4 : Vampire anonyme	Angel	Cœur transpercé
Nº 5 : Vampire anonyme	Buffy	Cœur transpercé
Nº 6 : Absalom	Buffy	Incinération

Pour cet épisode, le score est de 6 à 0 en faveur des humains : une première ! Les morts se succèdent rapidement, au rythme de cinq vampires en autant de minutes.

« Le Puzzle » **TOTAL : 1**

VICTIME	TUEUR	MÉTHODE
M. Corshack	Buffy	Cœur transpercé avec le manche d'une pelle

Bien sûr, le total se monterait à quatre si on comptait les jeunes filles mortes dans l'accident de voiture avant le début de l'épisode, et à cinq si on ajoutait Daryl. Mais aucun de ces décès ne s'est produit à l'écran.

« Attaque à Sunnydale » **TOTAL : 9**

VICTIME	TUEUR	MÉTHODE
No 1 : Vampire anonyme	Buffy	Cœur transpercé
No 2 et 3 : Types de l'aquarium	Spike	Miam, miam...
No 4 : Sheila	Drusilla	Vampirisation
No 5 : Professeur anonyme	Spike	Vertèbres brisées
No 6 : Professeur anonyme	Vampire anonyme	Morsure
No 7 : Vampire anonyme	Buffy	Cœur transpercé
No 8 : Vampire anonyme	Buffy	Cœur transpercé
No 9 : Colin, le Juste des Justes	Spike	Exposition au soleil

Jamais on n'avait dénombré autant de morts depuis le pilote – et encore moins dans un épisode d'une heure seulement !

« La Momie Inca » **TOTAL : 3**

VICTIME	TUEUR	MÉTHODE
Nº 1 : Rodney Munson	Momie	Baiser de la mort
Nº 2 : Vrai Ampata	Momie	Baiser de la mort
Nº 3 : Garde du corps	Momie	Baiser de la mort

Peut-on considérer la momie qui se faisait appeler Ampata comme la quatrième victime de cet épisode ? Tout dépend du point de vue. Elle avait l'air bien vivante et finit indubitablement morte… Mais n'avait-elle pas déjà trépassé cinq cents ans plus tôt ? Et si on l'inclut dans le compte, à qui doit-on attribuer son exécution ?

« Dévotion » **TOTAL : 0**

Vu que cet épisode était axé autour d'un démon exigeant des sacrifices humains, il est presque incroyable que personne n'y soit mort !

« Halloween » **TOTAL : 1**

VICTIME	TUEUR	MÉTHODE
Vampire anonyme	Buffy	Cœur transpercé avec une pancarte

La clé d'un bon épisode, c'est de compenser le nombre de pertes peu élevé par des méthodes d'assassinat distrayantes.

« Mensonge » **TOTAL : 4**

VICTIME	TUEUR	MÉTHODE
N° 1 : Vampire anonyme	Buffy	Cœur transpercé
N° 2 : Vampire anonyme	Buffy	Cœur transpercé
N° 3 : Billy Fordham	Spike et compagnie	Morsure
N° 4 : Billy vampirisé	Buffy	Cœur transpercé

Non, nous n'ajouterons pas l'oiseau de Drusilla à la liste !

« La Face Cachée » **TOTAL : 3**

VICTIME	TUEUR	MÉTHODE
N° 1 : Philip Henry	Eyghon	Strangulation
N° 2 : Vampire anonyme	Buffy	Cœur transpercé
N° 3 : Eyghon	Le démon d'Angel	Eviction ?

Que faire des cadavres ranimés de Dierdre Page et de Philip Henry ? Les gens qui les habitaient autrefois sont décédés quand Eyghon s'en est emparé. Mais comme ce dernier n'a pas cessé de se transférer d'un corps à un autre, il n'est pas mort quand les enveloppes charnelles de ses hôtes se sont liquéfiées… donc ça ne compte pas.

« Kendra » (1re et 2e parties) **TOTAL : 6**

VICTIME	TUEUR	MÉTHODE
No 1 : Vampire anonyme	Buffy	Cœur transpercé
No 2 : Mme Kalish	M. Pfister	Inconnue, mais bruyante et salissante
No 3 : Octarus le cyclope	Buffy	Décapitation au patin à glace
No 4 : Vampire anonyme	Giles	Carreau d'arbalète dans le dos
No 5 : M. Pfister	Alex et Cordélia	Engluement et piétinement
No 6 : Vampire anonyme	Willow et Giles	Cœur transpercé

Bien qu'il semble probable que Patrice (l'assassin tarakan femelle) soit morte dans l'incendie de l'église… jusqu'à ce qu'on retrouve son cadavre, elle ne pourra pas figurer sur la liste.

« Le Fiancé »		**TOTAL : 3**
VICTIME	**TUEUR**	**MÉTHODE**
No 1 : Vampire anonyme	Buffy	Cœur transpercé après tabassage copieux
No 2 : Ted	Buffy	Désassemblage en règle (deux fois)
No 3 : Vampire anonyme	Giles	Cœur transpercé avec le carreau d'arbalète que Jenny Calendar venait de lui tirer dessus

« Œufs-Surprise » **TOTAL : 6**

VICTIME	TUEUR	MÉTHODE
N° 1 : Tector Gorch	Maman bezoar	Ingestion ?
N° 2 : Maman bezoar	Buffy	A la hache !
N° 3 : Bébé bezoar	Alex	Porté à ébullition dans sa coquille
N° 4 : Bébé bezoar	Buffy	Aux ciseaux
N° 5 et 6 : Deux bébés bezoar	Buffy	Ecrasés avec une boîte à outils

Vous ne vous attendiez pas à ce que nous comptions le nombre de coquilles pulvérisées au cours de cet épisode, pas vrai ?

« Innocence » (1re et 2e parties)		TOTAL : 7
VICTIME	**TUEUR**	**MÉTHODE**
Nº 1 : Vampire anonyme	Buffy	Cœur transpercé
Nº 2 : Vampire anonyme	Buffy	Cœur transpercé avec une baguette de batterie
Nº 3 : Dalton	Le Juge	Incinération
Nº 4 : Femme anonyme	Angélus	Morsure
Nº 5 : Oncle Enyos	Angélus	Morsure
Nº 6 : Homme d'affaires	Le Juge	Incinération
Nº 7 : Le Juge	Buffy	Pulvérisé par une roquette

« Pleine Lune » **TOTAL : 2**

VICTIME	TUEUR	MÉTHODE
Nº 1 : Theresa Klusmeyer	Angélus	Morsure
Nº 2 : Theresa vampirisée	Alex	Cœur transpercé

Buffy avait décidé que personne ne mourrait pour la Saint-Valentin, et si Angélus ne s'en était pas mêlé, elle aurait atteint son objectif.

« Un Charme Déroutant » **TOTAL : 2**

VICTIME	TUEUR	MÉTHODE
Nº 1 : Vampire anonyme	Buffy	Cœur transpercé
Nº 2 : Vendeuse	Angélus	Cœur arraché

« La Boule de Thésulah » **TOTAL : 2**

VICTIME	TUEUR	MÉTHODE
Nº 1 : Fille anonyme	Angélus	Morsure
Nº 2 : Jenny Calendar	Angélus	Vertèbres brisées

D'accord, Angélus a aussi réglé leur compte aux quatre poissons de Willow, mais il est déjà assez difficile de ne pas perdre le compte des bipèdes !

« Réminiscence » **TOTAL : 3**

VICTIME	TUEUR	MÉTHODE
Nº 1 : Tina	Der Kindestod	Aspiration des forces vitales
Nº 2 : Docteur Becker	Der Kindestod	Découpage en morceaux
Nº 3 : Der Kindestod	Buffy	Vertèbres brisées

Bien que nous ayons vu mourir Célia, c'était dans les souvenirs de Buffy, donc ça ne compte pas.

« La Soirée de Sadie Hawkins » **TOTAL : 1**

VICTIME	TUEUR	MÉTHODE
Mlle Frank	George	Une balle et une chute de deux étages

Attendu que c'est le premier épisode dans lequel les armes à feu jouent un rôle important, le nombre de morts *contemporaines* est étonnamment restreint. Dans les séries policières, la moyenne tourne autour de cinq décès par coups de feu dans chaque épisode. James et Grace ne comptent pas, puisqu'ils ont été enterrés depuis belle lurette.

« Les Hommes-Poissons » TOTAL : 2

VICTIME	TUEUR	MÉTHODE
N° 1 : Infirmière Greenleigh	Monstres marins	Inconnue, mais salissante
N° 2 : Entraîneur Marin	Monstres marins	Inconnue, mais… vous connaissez la suite

Que deviennent Cameron Walker, Gage Petronzi, Dod McAlvy et leur camarade Sean ? C'est le problème avec une série comme *Buffy contre les Vampires*. Parfois, il est difficile de tracer une frontière entre les morts et les vivants. Mais si on oublie leurs écailles et le fait que désormais, ils n'ont plus d'adresse fixe, les membres de l'équipe de natation n'ont pas leur place dans la liste.

« Acathla » (1re et 2e parties) TOTAL : 11

VICTIME	TUEUR	MÉTHODE
Nº 1 et 2 : Vampires anonymes	Buffy	Cœur transpercé
Nº 3 : Conservateur du musée	Drusilla	Miam, miam…
Nº 4 : Homme anonyme	Angélus	Morsure
Nº 5 : Femelle vampire anonyme	?	Auto-immolation
Nº 6 : Femelle vampire anonyme	Kendra	Cœur transpercé
Nº 7 : Kendra	Drusilla	Egorgement
Nº 8 : Vampire anonyme	Buffy	Cœur transpercé
Nº 9 : Vampire anonyme	Buffy	Décapitation
Nº 10 : Vampire anonyme	Buffy	Cœur transpercé
Nº 11 : Angel	Buffy	Une épée à travers le corps et un aller simple pour l'Enfer

Séquence Souvenir **TOTAL : 3**

VICTIME	TUEUR	MÉTHODE
Nº 1 : Angel	Darla	Vampirisation
Nº 2 : Prêtre	Angélus	Morsure dans le confessionnal
Nº 3 : Vampire anonyme	Buffy	Son premier cœur transpercé, du temps où elle vivait à Los Angeles !

D'habitude, nous ne prenons en compte que les morts « on-line ». Mais dans cet épisode, les autres étaient si essentielles au reste de l'action que nous les avons quand même incluses pour référence, sans les ajouter au total.

Qui fait quoi ?

Numéro de production de l'épisode :
(Titre original : *Ted*) 5V11
Date de première diffusion aux USA :
8 décembre 1997
Scénaristes :
David Greenwalt et Joss Whedon
Réalisateur :
Bruce Seth Green

Distribution

Buffy Summers	Sarah Michelle Gellar
Alexandre Harris	Nicholas Brendon
Willow Rosenberg	Alyson Hannigan
Cordélia Chase	Charisma Carpenter
Rupert Giles	Anthony Stewart Head

Invités

Angel	David Boreanaz
Joyce Summers	Kristine Sutherland
Jenny Calendar	Robia La Morte
Ted Buchanan	John Ritter
Inspecteur Stein	James G. MacDonald
Neal	Ken Thorley
Vampire N° 1	Jeff Pruitt
Vampire N° 2	Jeff Langton

L'aviez-vous remarqué ?

Un rapide coup d'œil à la distribution révèle que le vampire numéro un, celui que Buffy assomme avec un couvercle de poubelle, n'est autre que Jeff Pruitt, le coordinateur des cascades de la série. D'ailleurs, en tournant cette scène, il s'est fait très mal à la main et au poignet.

•

D'où sort le mini-golf ? Willow avait pourtant dit clairement dans « La Métamorphose de Buffy » qu'il n'y en avait pas à Sunnydale.

•

Le commentaire de Buffy selon lequel Ted lui fait penser à Stepford est une allusion au film de 1975 *The Stepford Wives*, mettant en scène des épouses parfaites prêtes à satisfaire toutes les exigences domestiques de leur mari. La comparaison est d'autant plus appropriée qu'elles étaient en réalité des robots !

•

Que se passe-t-il avec l'éclairage ? Dans plusieurs scènes, il fluctue sans aucune raison apparente. Les ombres se promènent d'un bord à l'autre du terrain de mini-golf en l'espace de quelques secondes ; la table de nuit de Buffy est tantôt plongée dans le noir, tantôt brillamment éclairée ; le corps mécanique de Ted brille dans une prise de vue mais a l'air terne dans toutes les autres. C'est peut-être en rapport avec le nombre ahurissant de fois où Sarah Michelle Gellar et Anthony Stewart Head plissent les yeux dans cet épisode !

Quizz de l'apprentie tueuse

Questions

1. Dans quel film n'a pas tourné John Ritter ?
   A *La Fiancée de Chucky*
   B *I Woke Up Early The Day I Died*
   C *Problem Child*
   D *Génération Perdue*

2. Lequel des films suivants mettait en scène des cyborgs ?
   A *Cyborg*
   B *Johnny Mnemonic*
   C *L'Expérience Interdite*
   D *Robocop*

3. Quel acteur n'a pas interprété un homme mécanique à la télévision ?
   A Lee Majors
   B Brent Spiner
   C Robert Llewellyn
   D Rick Springfield

4. Quel programme a remporté le Saturn Award de la Meilleure Série TV en 1998 ?
   A *Buffy contre les Vampires*
   B *The X-Files*
   C *Space : Above and Beyond*
   D *Millenium*

5. Qui est né le 17 septembre 1948 à Burbank, en Californie ?
   A Armin Shimerman
   B John Ritter
   C Anthony Stewart Head
   D Robin Sachs

Réponses

1. D 2. A, B et D 3. D 4. A 5. B

Episode :

« Œufs-Surprise »

Le résumé

Dans le cadre de leur cours d'éducation sexuelle, les lycéens de Sunnydale doivent veiller sur un œuf comme s'il s'agissait de leur bébé. Mais Buffy met son instinct maternel en veilleuse quand éclôt un parasite préhistorique violet dont les frères et sœurs ne tardent pas à prendre le contrôle de ses camarades, de sa propre mère et même de Giles !

La version fouillée

Ces gamins me rendront folle

Afin de sensibiliser les jeunes au risque de grossesse lors de rapports sexuels non protégés, beaucoup d'établissements scolaires américains leur confient pour une durée de quatorze jours un œuf sur lequel ils doivent veiller comme s'il s'agissait de leur enfant. Les adolescents qui participent à ce programme ne sont pas tous des parents aussi indignes qu'Alex ; beaucoup développent une véritable affection pour leur « bébé ».

Environ un sur deux cents continue à s'en occuper après la fin de l'expérience ; un sur mille cinq cents devient littéralement obsédé. Si son œuf se casse ou disparaît, il plonge dans une dépression si profonde que la psychologue Lauren Houghton de Toronto la compare au traumatisme subi par les parents ayant perdu un de leurs enfants.

Quand Katie Powell, âgée de douze ans et résidant en Floride, se vit confier un œuf dans le cadre de ce programme, elle fut ravie de pouvoir jouer les petites mamans. Sans que ses parents ou son professeur l'y aient incitée, elle régla son réveil sur les horaires de tétée d'un nourrisson de six semaines (soit toutes les quatre heures) et adopta très vite l'habitude de faire la sieste à la moindre occasion pour rattraper le sommeil en retard, soit pendant la pause-déjeuner ou les récréations. Elle prit ses devoirs de mère tellement au sérieux que son professeur, après avoir consulté son journal, dut lui faire remarquer qu'aucun bébé au monde n'a besoin d'être changé vingt fois par jour !

Un peu étonnés par le comportement de leur fille, mais très fiers que celle-ci se montre aussi responsable, les Powell se plièrent à tous ses caprices de jeune mère, acceptant même de faire du baby-sitting quand Katie avait besoin d'une demi-heure pour se laver les cheveux.

Son frère aîné, Calvin, fut le seul à

Qui fait quoi ?

Numéro de production de l'épisode :
(Titre original : *Bad Eggs*) 5V12
Date de première diffusion aux USA :
12 janvier 1998
Scénariste :
Marti Noxon
Réalisateur :
David Greenwalt

Distribution

Buffy Summers	Sarah Michelle Gellar
Alexandre Harris	Nicholas Brendon
Willow Rosenberg	Alyson Hannigan
Cordélia Chase	Charisma Carpenter
Rupert Giles	Anthony Stewart Head
Angel	David Boreanaz

Invités

Joyce Summers	Kristine Sutherland
Jonathan	Danny Strong
M. Whitmore	Rick Zeiff
Tector Gorch	James Park
Lyle Gorch	Jeremy Ratchford

trouver étrange le comportement de l'adolescente. Mais il ne s'attendait pas à la réaction de Katie quand, trois semaines après la fin de l'expérience officielle, son œuf commença à développer une odeur caractéristique. (Le professeur avait demandé à ce qu'il reste cru — contrairement à celui d'Alex — pour encourager ses élèves à se montrer plus prudents).

Quand la mère de Katie s'aperçut qu'une bouteille d'eau de Javel avait disparu de la buanderie, et la découvrit cachée parmi les peluches de sa fille, elle commença à s'inquiéter. Entre berceuses et « tétées », l'adolescente avait entrepris de faire tremper son œuf pour régler ses petits problèmes d'hygiène ! Sa famille lui suggéra d'en prendre un plus frais ; mais elle paniqua et refusa de se séparer de son « Ovetta ».

Le docteur Mitchell Warren passa plusieurs semaines à sevrer Katie et à la guérir de sa dépendance. Il expliqua à ses parents et à son professeur qu'une adolescente ordinaire avait eu le comportement d'un bébé de deux ans qui vient de perdre son « doudou ».

« La maturité émotionnelle est indépendante de l'âge physique, bien qu'il existe des raisons psychologiques parfaitement valables pour affirmer qu'une fille de douze ans ne devrait pas devenir mère. L'intérêt de l'exercice, c'est d'amener les faux parents à se conduire comme si leur œuf était un véritable bébé. Or, Katie était encore à un âge où l'imagination a un pouvoir absolu sur la psyché. Curieusement, le fait que ses parents aient été très dévoués envers elle et son frère a joué contre elle : elle a voulu se mettre à leur place et faire aussi bien qu'eux, ce qui était impossible dans sa situation. »

Que penser des parents d'Alex, pour que leur fils ait fait bouillir son œuf afin de ne pas risquer de le casser ? Après tout, ils ne reconnaissent même pas sa voix au téléphone...

Un tiers des établissements ayant adopté ce programme viennent d'en réviser les règles pour que les élèves de moins de quatorze ans n'y soient plus soumis. Malgré des problèmes comme ceux survenus chez les Powell, d'autres ont au contraire décidé de porter leurs

Les enseignements de Buffy

† Les placards à balai sont des zones érogènes.

† Les chaufferies, surtout celles dont la lumière ne fonctionne pas et qui sont bourrées de tunnels, ne sont pas un lieu sûr.

† Le cours d'éducation sexuelle du lycée de Sunnydale donne une nouvelle signification à l'adage : « Un peu de connaissance est une chose dangereuse ».

† Ne tournez jamais le dos à un bibliothécaire en possession d'un tiroir chargé.

† Ne répondez jamais à des questions théoriques pendant le cours d'éducation sexuelle.

† Un truc violet dans une coquille ne fait pas un très bon goûter.

efforts sur la tranche des dix-douze ans. « Il faut sensibiliser les adolescents avant qu'ils ne commencent à avoir des rapports sexuels ! » affirme Lyle Koviaris, un éducateur du Michigan. « L'an dernier, nous avons enregistré deux grossesses chez des élèves de sixième ; l'une d'elles avait à peine onze ans ! Supprimer ce programme, ce serait faire l'autruche : la plupart des parents qui s'y opposent refusent de croire que leurs enfants de dix ans puisse déjà s'intéresser au sexe. »

Madeline Cohen ne se fait aucune illusion sur la sexualité des pré-adolescents. Enseignante pendant vingt-trois ans et éducatrice au Planning Familial depuis seize, elle a eu pour plus jeunes patientes des fillettes de neuf ans ! Pourtant, comme Lauren Houghton, elle émet des réserves sur le fameux programme : « Très récemment, nous avons eu un cas tragique dans le New Jersey : celui de jumelles de onze ans, Ardiss et Arlene David, qui n'y participaient même pas ! Elles avaient reçu pour Noël deux tamagotchis, des petits animaux virtuels, auxquels elles s'étaient immédiatement attachées. Ça a failli leur coûter très cher... »

Précieuse, le petit animal virtuel d'Ardiss, fut le premier à « mourir ». Ses parents assurèrent à la fillette qu'ils pouvaient redémarrer le tamagotchi ; mais au lieu de commencer une nouvelle partie, Ardiss préféra l'enterrer en grande pompe au fond du jardin. Le docteur Warren y aurait vu un premier avertissement : « Elle a réagi comme les parents qui perdent un enfant et refusent d'en avoir d'autres pour ne pas trahir la mémoire du premier. Ce n'est pas inhabituel dans les cas d'attachement extrême. »

Une semaine après la mort de Précieuse, les professeurs d'Ardiss appelèrent ses parents à trois reprises pour s'étonner du changement brutal de caractère de la fillette. Elle qui était capitaine de deux équipes sportives et avait une excellente moyenne s'était mise à sécher les cours et à collectionner les mauvaises notes. Personne ne fit le rapprochement avec la perte de son jouet. « D'une certaine façon, dit le docteur Warren, Ardiss se punissait de son échec. Si elle n'avait pas été une bonne mère, elle ne méritait pas de réussir dans les autres domaines de sa vie. »

A partir de ce jour, les seuls moments de joie d'Ardiss furent ceux où sa sœur Arlene la laissa jouer avec son propre tamagotchi, baptisé Eléanor. A elles

L'aviez-vous remarqué ?

Presque toutes les séries possèdent un fan-club en ligne, et *Buffy contre les Vampires* ne fait pas exception à la règle. Les scénaristes rendent hommage à leurs membres au cours de cet épisode. Vous voyez l'inscription sur le tableau noir derrière Willow ? C'est une référence subtile aux visiteurs de www.buffy-slayer.com, qui passent des heures à disséquer dans un forum leurs théories à propos de la série.

•

Oups ! La petite amie de Lyle Gorch a dû avoir du mal à battre son propre record : le flipper sur lequel elle joue n'est même pas allumé !

•

Everyday Woman, la boutique favorite de Joyce Summers, n'existe pas dans la réalité ; mais le centre commercial où sont tournées certaines scènes est la Sherman Oaks Gallery.

•

Le petit bezoar de Buffy n'était pas seulement très laid, il défiait toutes les lois de la physique. La croissance de celui d'Alex fut interrompue quand le jeune homme le fit bouillir dans sa coquille, mais le « bébé » de la Tueuse avait plus que quadruplé de volume entre le moment où il a éclos et celui où il s'est glissé sous son lit quelques secondes plus tard !

deux, les fillettes le couvraient d'attentions, se disputant le privilège de le surveiller.

Si cette histoire avait été un épisode de série télévisée, la suite aurait paru évidente à tout le monde. Comme le bezoar de Buffy, Eléanor connut une fin tragique : elle tomba d'un balcon situé au septième étage et alla s'écraser sur un parking, plongeant les jumelles dans un cycle de dépression qui les poussa à avaler tous les médicaments rangés dans la salle de bains de leurs parents. Cette double tentative de suicide, qui eût été choquante dans n'importe quelles circonstances, attira l'attention du corps médical et éducatif.

« Nous avons eu de nombreux cas d'élèves qui s'attachaient trop à leur faux bébé, remarque Lauren Houghton. Au début, ils semblaient réagir de la même façon que s'ils avaient perdu un chien ou un chat. Puis nous avons constaté qu'à leur chagrin se mêlait une forte culpabilité : le sentiment d'être responsable de la mort de leur jouet. Bref, l'expérience avait trop bien fonctionné. Nous voulions leur montrer quelles épreuves doivent affronter les jeunes parents, mais nous leur avons confié un fardeau écrasant qu'ils n'étaient pas prêts à assumer. Je persiste à dire que l'idée de base est bonne. Mais nous devons rester vigilants pour détecter le gamin sur mille cinq cents qui va pousser le jeu de rôle trop loin. »

Pas étonnant que Lauren Houghton et ses collègues s'inquiètent de la nouvelle mode des Poupées Adoptives : contrairement aux œufs et aux tamagotchis, il s'agit de répliques anatomiquement correctes de bébés humains. Elles pleurent tant qu'on ne les berce pas, hurlant de cette façon aiguë et crispante qui peut rendre fou un adulte sain d'esprit.

« Si des enfants en arrivent à se suicider pour des jouets électroniques, comment réagiront-ils face à ces poupées qui deviennent toutes chaudes et gazouillent quand elles sont heureuses, mais braillent quand elles ont faim ou soif ? Et nous n'avons pas encore de données suffisantes pour affirmer que ce programme aura une influence sur la grossesse chez les adolescentes », affirme le docteur Warren. Qu'il se console : au moins, le lycée de Sunnydale est, à notre connaissance, le seul qui distribue à ses élèves des parasites violets !

Quizz de l'apprentie tueuse

Questions

1. Le maquillage du corps d'un de ces acteurs nécessite plus d'une heure de travail…
   A David Boreanaz
   B Anthony Stewart Head
   C Nicholas Brendon
   D Armin Shimerman

2. Quel classique de la science-fiction mettait en scène d'affreuses bestioles qui s'attachaient à des êtres humains ?
   A Alien
   B L'Invasion des Profanateurs de Sépultures
   C Cocoon
   D Contact

3. Lequel de ces acteurs n'a pas interprété un étudiant dans *Buffy contre les Vampires* ?
   A Alexandra Johnes
   B Musetta Vander
   C Elizabeth Anne Allen
   D Ryan James Bittle

4. En quelle année est sortie la version originale de *Danger Planétaire* ?
   A 1948
   B 1958
   C 1968
   D 1988

5. A qui appartient le chien qui a la réputation de « s'oublier » dans les coins quand il partage une caravane avec son maître ?
   A Sarah Michelle Gellar
   B Alyson Hannigan
   C Charisma Carpenter
   D Nicholas Brendon

Réponses

1. A 2. A 3. B 4. B 5. A

Episode :

« Innocence » (1re et 2e parties)

Le résumé

Première partie : La nuit précédant son dix-septième anniversaire, Buffy rêve de la mort d'Angel, et comme ses songes ont une fâcheuse tendance à se réaliser… Drusilla, qui a retrouvé toutes ses forces, mais pas sa santé mentale, s'efforce avec Spike de reconstituer le Juge. Le couple infernal n'a même pas la courtoisie de laisser la Tueuse fêter son anniversaire en paix avant de mettre à exécution ses plans de domination du monde. Pas étonnant que la première nuit où Angel et Buffy couchent ensemble ne se termine pas tout à fait comme prévu…

Deuxième partie : Les malédictions gitanes sont encore plus retorses qu'on ne pourrait s'y attendre : ayant enfin connu un instant de vrai bonheur, Angel perd à nouveau son âme et redevient le démon Angélus. Il se remet en cheville avec ses anciens partenaires et commence aussitôt à harceler Buffy et son entourage. Du coup, la Tueuse a beaucoup de mal à se concentrer sur le problème plus immédiat du Juge, qui menace de détruire l'humanité…

La version fouillée

Intentions honorables ou pas ?

Du sexe sur une chaîne publique, et en première partie de soirée ! Avec une héroïne vierge qui devrait croupir depuis longtemps dans une prison de Californie. C'est cela, oui.

— Network Source

Dans *Buffy contre les Vampires*, la véritable terreur n'est pas dispensée par les monstres mais par les problèmes beaucoup plus réalistes des lycéens. Il était inévitable que la série finisse par aborder le sujet du sexe. Mais pour amener leur héroïne dans le lit d'Angel et lui faire franchir le barrage de la censure, les scénaristes durent jongler avec la trame de l'histoire aussi bien qu'avec la façon dont elle fut filmée.

Même si Angel n'a aucun accent, ses origines irlandaises fermement établies depuis la première saison permettent un astucieux tour de passe-passe. Comme il

Qui fait quoi ?

Numéro de production des épisodes :
Première Partie (Titre original : *Surprise*) 5V13 ;
Deuxième Partie (Titre original : *Innocence*) 5V14
Date de première diffusion aux USA :
19 et 20 janvier 1998
Scénaristes : Marti Noxon (1re partie),
Joss Whedon (2e partie)
Réalisateurs : Michael Lange (1re partie),
Joss Whedon (2e partie)

Distribution

Buffy Summers	Sarah Michelle Gellar
Alexandre Harris	Nicholas Brendon
Willow Rosenberg	Alyson Hannigan
Cordélia Chase	Charisma Carpenter
Rupert Giles	Anthony Stewart Head

Invités

Angel	David Boreanaz
Oz	Seth Green
Joyce Summers	Kristine Sutherland
Jenny Calendar	Robia La Morte
Le Juge	Brian Thompson
Oncle Enyos	Vincent Schiavelli
Spike	James Marsters
Drusilla	Juliet Landau

1re partie seulement	
Dalton	Eric Saiet
2e partie seulement	
Soldat	Ryan Francis
Professeur	James Lurie
Etudiant	Parry Shen
Femme	Carla Madden

le dit à Buffy quand il lui offre une bague identique à celle qu'il porte : « Autrefois, mon peuple échangeait ces anneaux en signe de dévotion. On les appelle *claddagh.* Les mains représentent l'amitié ; la couronne, la loyauté ; et le cœur... tu sais bien. Quand on porte le sien tourné vers l'intérieur, ça signifie qu'on appartient à quelqu'un. »

Lui ayant révélé le symbolisme de ce geste, il demande à Buffy de mettre l'anneau. La jeune fille doit choisir, comme les femmes hawaïennes qui placent une fleur derrière leur oreille gauche pour signifier qu'elles sont libres, ou derrière leur oreille droite si leur cœur est déjà pris. Nous la voyons enfiler l'anneau avec le cœur tourné vers l'intérieur : autrement dit, elle consent à une relation exclusive avec Angel, selon les termes qu'il a lui-même signifiés.

Un petit texte photocopié sur des milliers de faux parchemins, et présenté dans un écrin en compagnie des *claddagh* vendus de nos jours, révèle qu'Angel n'a pas dit toute la vérité à Buffy.

> *Porté à droite, tourné vers l'extérieur,*
> *Il dit au monde que votre cœur est toujours à prendre.*
> *Porté à droite, tourné vers l'intérieur,*
> *Il dit au monde que l'amour vous a peut-être touché.*
> *Porté à gauche, tourné vers l'intérieur,*
> *Il crie au monde un amour pur et éternel.*

Mais Angel est né il y a plus de deux siècles. Peut-être n'est-il pas retourné en Irlande depuis l'avènement du vélin, des écrins en velours et du développement de pseudo-traditions touristiques.

Il y a deux siècles, la plupart des pays européens (et pas seulement l'Irlande) considéraient les fiançailles de manière aussi sérieuse qu'un véritable mariage.

Les enseignements de Buffy

† Etre chargé du buffet dans une réception vampirique, c'est le pied pour un traiteur : le menu est beaucoup plus limité qu'avec des clients ordinaires.

† Si quelqu'un mentionne sérieusement le « cargo pour la Chine » en tant qu'option de transport, vérifiez ses dents.

† Les optomètres nocturnes sont parfois bien utiles.

† Il est dangereux pour votre santé de débarquer dans une soirée où vous n'avez pas été invité.

† « Ce n'est pas un rendez-vous à moins que le garçon ne dépense de l'argent. » – Cordélia à propos de sa vie amoureuse dans les placards à balai.

† Même les démons sont pris par le virus du shopping de temps à autre.

† Le cadeau idéal pour une Tueuse qui a déjà tout ? Un lance-roquettes.

Sur leur base, les familles pouvaient échanger de l'or, des têtes de bétail ou des terres. La période d'attente permettait seulement à la future épouse d'atteindre sa maturité physiologique et le moment où elle pourrait porter des enfants.

Au cas où elle était déjà en âge de le faire, le mariage pouvait être consommé avant sa célébration, surtout dans les régions où les autorités religieuses itinérantes n'étaient pas sur place pour officialiser une union dans des délais satisfaisants. Dès que tout était en ordre pour l'arrivée du premier enfant, personne ne se montrait trop regardant avec les convenances.

Certaines communautés avaient même inventé des rituels permettant de lier un couple en attendant l'arrivée d'un prêtre. Par exemple, chacun des futurs époux donnait son consentement devant deux de leurs voisins, avant d'échanger des objets de valeur. A Dulherry, en Irlande, il suffisait que le couple pose ses mains sur l'autel et se déclare lui-même marié ! Dieu était témoin de cette promesse, et cela seul comptait.

Ces *arrangements* étaient plus une règle qu'une exception pour ceux qui ne possédaient pas ou peu de richesses. Bien qu'il ait des origines nobles, Angel a renoncé à son mode de vie depuis si

L'aviez-vous remarqué ?

Le Juge vous rappelle quelqu'un ? Pas étonnant. Il avait un maquillage beaucoup plus léger quand il interpréta Luke, le Calice du Maître, dans le pilote de la série. Mais son imposante présence, en partie à cause de sa stature, le trahit sous les prothèses du Juge.

•

C'est peut-être à cause du succès simultané de Buffy contre les Vampires et de la version vidéo de *Toy Story* (dont le scénario avait été écrit par Joss Whedon), ou peut-être parce que la diffusion de la série était passée du lundi au mardi soir sur le marché américain... Quoi qu'il en soit, « Innocence » fut le premier épisode incluant une bande-annonce pour le suivant, où on précisait le nom du créateur de *Buffy contre les Vampires*.

longtemps qu'il ne se sent pas obligé d'échanger avec Buffy autre chose qu'un serment et un anneau d'argent.

Pour défendre leur interprétation romantique de ce que certains considéreraient sans doute comme la simple défloraison d'une lycéenne, les scénaristes ont pris garde à ne pas montrer d'images trop explicites. Ils se sont appuyés sur le fait que, selon la tradition irlandaise, Buffy et Angel étaient déjà mariés depuis un certain temps. Ce qui soulève mille et une questions...

Maintenant que le démon Angélus a repris les commandes, peut-on considérer Buffy comme veuve ? Ou, sachant que la malédiction originelle avait ramené son âme de l'au-delà, est-elle toujours mariée à l'esprit désincarné de l'Angel qu'elle connaît ? Et comment peut-on au juste déterminer la mort légale d'un vampire ? Combien de temps Buffy devra-t-elle porter le deuil ? Sept ans, comme chez les humains ? Ça semble bien peu pour une créature qui comptait déjà plus de deux siècles... et qui était morte avant la naissance de la Tueuse.

Pendant que nous y sommes, puisqu'Angélus est obsédé par ses rêves de vengeance, pourquoi continue-t-il à porter son anneau *claddagh* dans les épisodes suivants, y compris quand il offre à Drusilla son répugnant cadeau de la Saint-Valentin ?

Et la question la plus grave de toutes : si Angel devait réapparaître, quelles seraient les conséquences pour notre couple tragique favori ? La réconciliation sur l'oreiller est-elle possible chez des gens qui ont mutuellement essayé de se tuer à plusieurs reprises ?

L'aviez-vous remarqué ?

Même si vous ne vous êtes pas demandé comment un vampire qui ne respire pas peut tirer sur la cigarette de sa victime par la plaie qu'elle a à la gorge, ou comment une créature dont le sang ne circule pas réussit à satisfaire physiquement sa partenaire, les scènes de transition entre les deux parties d'« Innocence » ont dû vous laisser perplexe au sujet de ce que les deux amoureux avaient pu faire au cours de la nuit.

Buffy a réussi à se parer d'une boucle d'oreille supplémentaire et à se vernir les ongles (dans une couleur argentée) pendant qu'elle savourait son bonheur post-coïtal, puis à faire usage de dissolvant pour l'ôter avant de rentrer chez elle.

De son côté, Angel était bien trop occupé pour remarquer ce genre de détail. Entre le moment où il s'est réveillé nu, à l'exception d'un caleçon noir, et celui où il s'est écroulé dans une ruelle voisine après que la malédiction des gitans lui eut à nouveau arraché son âme, il a trouvé le temps de fouiller dans son armoire, de choisir et d'enfiler des vêtements différents de ceux qu'il avait abandonnés au pied du lit la veille, de fermer tous les boutons de sa chemise et de nouer ses lacets. Pas mal pour un type en proie à une souffrance si atroce qu'elle le fait hurler !

Et en parlant de hurlements... Comment se fait-il que la Tueuse, avec ses perceptions développées, n'ait rien entendu ? Puisque Angel appelait Buffy au secours, pourquoi est-il sorti sous l'averse au lieu de se tourner vers elle dans les draps ? Non que la pluie l'ait beaucoup gêné : d'une prise de vue à l'autre, il réussit à se transformer de gentil vampire trempé jusqu'à la moelle en superméchant extra-sec !

•

Pendant le combat dans le cinéma, vous avez peut-être remarqué les dizaines d'affiches promotionnelles du dessin animé *Quest for Camelot.* Non, aucune des personnes qui travaillent sur *Buffy contre les Vampires* n'a pris part au projet : WB profite juste de son temps d'antenne pour se faire un maximum de publicité.

•

« Oz a une camionnette ». Une camionnette ? C'est comme dire que Willow a *un* sac à dos ! Les spectateurs arrivent peut-être à se convaincre qu'il aime beaucoup faire joujou avec un pinceau et un pot de peinture. Après tout, son moyen de transport favori arbore, selon les épisodes, des rayures de zèbre ou une jolie couleur vanille uniforme. Mais comment expliquer le volant baladeur, tantôt à droite, tantôt à gauche ?

•

Vous souvenez-vous de la scène de bouche-à-bouche entre Alex et Buffy dans « Le Manuscrit » ? Celle qui commence par l'aveu d'Angel : il n'a pas de souffle et ne peut donc sauver sa bien-aimée ? Vous vous souvenez aussi de la scène de « Portée Disparue » où le même Angel fait irruption dans la chaufferie remplie de gaz pour sauver Giles et les autres ?

Tout ça n'était possible que parce qu'il ne respire pas, d'accord ? Alors, comment fait-il pour sucer le cou de sa victime avec tant d'enthousiasme qu'il aspire une bouffée de sa cigarette en même temps qu'un litre ou deux de son sang ?

Quizz de l'apprentie tueuse

Questions

1. La femme d'un de ces acteurs, Ingrid, lui a offert un anneau *claddagh* :
   A Anthony Stewart Head
   B James Marsters
   C Ken Lerner
   D David Boreanaz

2. De quel pays sont originaires les bohémiens ?
   A La Transylvanie
   B La Bavière
   C La Grèce
   D L'Inde

3. Quel est le mot gitan qui désigne un vampire ?
   A Mulo
   B Gudo
   C Fakir
   D Creb

4. Quel acteur a interprété un vampire dans deux séries différentes ?
   A David Boreanaz
   B Brian Thompson
   C Mark Metcalf
   D James Marsters

5. Traditionnellement, quelles pratiques gitanes permettent d'éloigner les vampires ?
   - A Pendre des guirlandes d'ail dans la maison
   - B Verser de l'eau bouillante sur leur tombe
   - C Coudre un clou dans la doublure de ses vêtements
   - D Enfoncer une aiguille dans le cœur d'un cadavre

Réponses

1. D 2. D 3. A 4. B 5. A, B, C et D

Episode :

« Pleine Lune »

Le résumé

Juste au moment où Willow se dégote enfin un petit ami, et où les vampires de Sunnydale décident de laisser quelques jours de vacances à nos héros, une nouvelle menace poilue se déchaîne dans le Coin des Amoureux. Au lieu de sortir avec les amis musiciens d'Oz et de réussir une ascension fulgurante sur l'échelle sociale de leur lycée, Willow doit aider Buffy, Alex, Cordélia et un Giles « intrigué » à débusquer un loup-garou inscrit sur la liste des futures victimes d'un chasseur professionnel.

La version fouillée

Qu'est-ce qu'une petite métamorphose entre amis ?

Je suis très intrigué. Un loup-garou, c'est un grand classique. Je vais passer une après-midi passionnante avec mes livres.

— Rupert Giles

Giles n'est pas la première personne fascinée par les histoires d'humains capables de se métamorphoser en animaux féroces, soit à volonté soit en réagissant malgré eux aux phases de la lune. Les loups-garous, ces monstres « classiques » mentionnés dans la littérature des millénaires avant JC (dans *Les Récits de Gilgamesh*), sont le sujet de quantité des livres si chers à l'Observateur de Buffy. Malheureusement, du point de vue d'un chasseur, beaucoup se contredisent !

Tout d'abord, les auteurs n'arrivent

Qui fait quoi ?

Numéro de production de l'épisode :
(Titre original : *Phases*) 5V15

Date de première diffusion aux USA :
27 janvier 1998

Scénaristes :
Rob Des Hotel et Dean Batali

Réalisateur :
Bruce Seth Green

Distribution

Buffy Summers	Sarah Michelle Gellar
Alexandre Harris	Nicholas Brendon
Willow Rosenberg	Alyson Hannigan
Cordélia Chase	Charisma Carpenter
Rupert Giles	Anthony Stewart Head
Angélus (Angel)	David Boreanaz

Invités

Oz	Seth Green
Cain	Jack Conley
Professeur de Gym	Camila Griggs
Larry	Larry Bagby III
Thérésa Klusmeyer	Meghan Perry
Loup-Garou	Keith Campbell

pas à se mettre d'accord sur la manière dont un humain devient un loup-garou. A en juger par la conversation d'Oz avec sa tante, la lycanthropie serait contagieuse, héréditaire ou les deux à la fois. L'oncle du jeune homme était un loup-garou, et son fils Jordy aussi — celui-là

Les enseignements de Buffy

† Les loups-garous n'ont aucun respect pour les décapotables.

† Mettre la main aux fesses d'une Tueuse est très mauvais pour la santé.

† Apporter une lampe-torche pour se rendre dans le Coin des Amoureux peut passer pour de la sur-accessoirisation.

† Se réveiller seul et nu dans les bois, c'est forcément mauvais signe.

† Quand un garçon rentre l'étiquette qui dépasse de votre survêtement, c'est qu'il est amoureux.

† Suspendre une Tueuse la tête en bas dans un filet, c'est un bon moyen de la foutre en rogne.

> † Le vestiaire des garçons n'est pas l'endroit rêvé pour discuter de modes de vie alternatifs.
>
> † Les secrets découverts en espionnant les gens par la fenêtre de leur véhicule devraient rester secrets.
>
> † Un petit ami qui a des menottes dans sa cuisine et refuse de se promener avec vous à la pleine lune nécessite une investigation approfondie.

même qui décida de se faire les dents sur son cousin.

Si Giles (ou Willow, qui est plus directement concernée) décidait de chercher la cause des métamorphoses périodiques d'Oz, la première chose qu'il découvrirait est que la lycanthropie a des dizaines de sources traditionnelles.

Bien entendu, le contact physique avec un loup-garou figure en bonne place dans la liste des moyens de contamination. Consommer sa chair, surtout le cerveau ou les coussinets, semble être un moyen garanti. Les végétariens ne sont pas à l'abri : ils peuvent contracter la lycanthropie en portant des vêtements en fourrure de loup, notamment la ceinture mentionnée dans de nombreuses légendes européennes. Même sans avoir aucun contact direct avec un métamorphe, on peut être affecté si on boit l'eau d'une flaque où il a posé une patte ou s'est abreuvé. Evidemment, la morsure d'un loup-garou reste le moyen le plus radical de devenir comme lui.

A l'époque où la lycanthropie provoquait une véritable panique en Europe, toutes les choses ayant un rapport, même indirect, avec les loups étaient considérées comme suspectes : par exemple, planter de l'aconit tue-loup dans son jardin, même si le propriétaire espérait au contraire éloigner toute créature nuisible ! Une lettre mal traduite du latin vers l'allemand répandit la croyance erronée que ce végétal poussait en abondance sur les chemins forestiers fréquentés par des lycanthropes, et dans la propriété des humains atteints par la maladie. Aux environs de Klein-Krams, une légende locale affirme que faire pousser de l'aconit tue-loup n'était pas un signe de lycanthropie, mais une cause directe de la transformation d'humains normaux en bêtes féroces.

D'autres communautés acceptaient des explications plus obscures encore. Goûter de la chair humaine, même sans le savoir, provoquait une lycanthropie instantanée. Etre né la veille de Noël ne l'entraînait pas forcément, mais mettait les parents en garde contre tous les périls qui n'attendaient qu'une occasion de fondre sur leur nourrisson.

S'associer avec des criminels reconnus, manipuler des batraciens, avoir des rapports sexuels hors mariage ou blasphémer dans une église comportait également du danger, tout comme dormir au clair d'une nouvelle lune ou traverser un cours d'eau dans le sens inverse des aiguilles d'une montre (qui aurait fait une chose pareille ?), manger des chauve-souris (voir question précédente...), s'associer ou coucher avec une sorcière (Willow, prends garde à toi...).

Evidemment, coucher avec un loup-garou n'était pas non plus une bonne idée, ce qui nous amène à la contradiction la plus flagrante du mythe. Pour éviter tout contact avec des lycanthropes, les gens de l'époque devaient trouver un moyen de les identifier. Selon une légende polonaise, pour les faire se retransformer en humains, il suffisait de dire trois fois leur nom à voix haute... ou de les forcer à passer sous un objet métallique. Apparemment, leur aversion pour le métal ne se limiterait pas aux balles en argent...

Les miroirs aussi permettaient de détecter les lycanthropes : contrairement aux vampires, qui n'ont pas de reflet, les loups à mi-temps apparaissent dans une glace sous leur forme humaine nue.

A l'inverse, comment reconnaître un lycanthrope sous sa forme humaine ? A ses paumes poilues, à ses ongles recourbés, à ses annulaires plus longs que la moyenne ou à sa tendance à dormir la bouche ouverte. Evidemment, Cordélia dirait que la plupart des lycéens correspondent à cette description...

Si les chasseurs de loups-garous

médiévaux se préoccupaient tant de l'identité humaine de leurs victimes, c'était parce qu'ils distinguaient deux types de lycanthropes : les premiers se délectaient du mal causé à leur communauté, les seconds étaient victimes d'une malédiction qu'ils ne contrôlaient pas. Pour eux, chaque culture avait élaboré toute sorte de « remèdes ». Les autres devaient se frotter à une multitude de contre-mesures aussi sérieuses qu'efficaces.

Les balles en argent, préconisées par les chasseurs de loups-garous tels que Cain, apparaissent dans au moins quatre traditions folkloriques différentes (sans compter le Buffyvers). Elles sont aux métamorphes ce que les pieux sont aux vampires : le moyen le plus rapide et le plus définitif de mettre un terme à leur existence. Mais en Roumanie, par exemple, seul l'argent obtenu par héritage pouvait servir à confectionner des balles efficaces.

A Klein-Krams, en Allemagne, où un lycanthrope aurait fait des dizaines de victimes, le projectile qui mit un terme à ses exactions était fait d'argent hérité et saint : en l'occurrence, il provenait de la fonte d'une médaille religieuse. C'est peut-être à cause de ça qu'une lettre écrite en 1437 au père Niceé raconte le pillage d'une église par une foule de villageois en colère, venus y dérober « de quoi préparer quarante balles en argent afin de détruire la Bête ».

Dans les légendes scandinaves, l'argent ne tuait pas : sous forme de lame ou de balle, il causait simplement des blessures impossibles à guérir. Le loup-garou mourait d'hémorragie, d'infection ou entre les mains des habitants qui pouvaient l'attraper plus facilement une fois blessé.

Les chasseurs de lycanthropes avaient encore bien des tours dans leur manche : par exemple, transpercer leur victime avec un bâton « magique » taillé dans du bois de frêne, de chêne ou d'aulne, la brûler au pilori sous n'importe laquelle de ses formes ou l'enfermer dans une église jusqu'à ce qu'elle se métamorphose, si on en croit le folklore prussien.

Les Scandinaves, les Sibériens et les Ukrainiens favorisaient la noyade. Les Autrichiens avaient développé toute une cérémonie au cours de laquelle le loup-garou était décapité, découpé en quartiers et brûlé après qu'on eut marqué ses entrailles au fer chaud.

Vu la liste des atrocités attribuées aux lycanthropes, il est presque surprenant que des méthodes de guérison aient été développées. A l'apogée de la paranoïa médiévale, plus de onze cent morts leur ont été imputées en Allemagne sur une période de douze mois. Pourtant, contrairement aux vampires jugés irrécupérables, les loups-garous avaient le bénéfice du doute dans beaucoup de communautés européennes. Pour délivrer un loup-garou de la malédiction qui l'accablait, il fallait d'abord trouver un moyen de le capturer et de le neutraliser. Cette quête prenait souvent une connotation religieuse ; les chasseurs effectuaient des veilles dans l'église locale, faisaient bénir leurs armes et se munissaient de brassées de médailles saintes.

L'aviez-vous remarqué ?

Le *Bronze* a accueilli beaucoup de vrais musiciens pendant les deux premières saisons de *Buffy contre les Vampires*. Les morceaux qui accompagnent cet épisode sont signés par le groupe Lotion.

•

Willow est ce qu'on peut appeler une jeune fille « propre sur elle ». Mais cela explique-t-il comment, après s'être étalée de tout son long dans la boue en s'efforçant de fuir un loup-garou, elle se retrouve à la bibliothèque avec ses amis et... des vêtements immaculés ? Qu'est-il arrivé à toutes les taches bien visibles au moment où elle se relevait après sa chute ?

•

Cet épisode, qui contient une foule de références aux précédents, a dû enchanter les fidèles toujours à la recherche d'un prétexte pour faire valoir leur mémoire infaillible et leur sens de l'observation. Le commentaire d'Alex sur « la fiancée de Robby le Robot » lui a été inspiré par « Moloch », et toutes les allusions sur le jour où il a failli perdre la tête, par « Le Chouchou du Prof ». Les autocollants de Velvet Chain remarqués à l'intérieur des vestiaires évoquent la bande-son de « Un Premier Rendez-Vous Manqué ». Quant au trophée qui semble rendre son regard à Oz dans le pré-générique, il nous rappelle fortement celui où fut enfermée une certaine Catherine Madison (« Sortilèges »)... Bien qu'ils ne soient pas essentiels au développement du scénario, ces clins d'œil font toujours sourire les fans et les récompensent de leur assiduité.

Dans le sud de la Bavière, on pensait qu'un cercle de moines psalmodiant des prières pouvait retenir un loup-garou sous sa forme humaine ou animale.

Dans le nord, on préférait les entraîner dans un endroit où ils se retrouvaient cernés par de l'eau courante, ou sur un radeau qu'on poussait ensuite dans un fleuve. Les habitants de Braevestrau eurent l'idée de construire une digue, de placer un agneau sacrificiel dans le lit du torrent ainsi asséché, puis de libérer l'eau afin de capturer un loup-garou sans devoir se mettre à portée de ses griffes.

Autres objets permettant de contenir un lycanthrope : un anneau de pétales de roses, d'hosties, de gousses d'ail ou de sel, une haie d'épineux ou un cercle de flammes. Une légende affirme qu'emprisonner le loup-garou dans un cimetière jusqu'à l'aube fonctionnait tout aussi bien, mais elle ne précise pas comment l'empêcher de fuir.

Evidemment, capturer un loup-garou ne suffisait pas (sauf peut-être dans le sud de la France, où une troupe d'artistes ambulants offrait une bonne récompense à qui lui en procurerait un vivant pour son spectacle). Dans l'intérêt de tous, il fallait ensuite se hâter de le guérir ou de le tuer. Malheureusement pour le lycanthrope, les remèdes étaient souvent plus brutaux encore que les exécutions !

Les Bavarois rossaient les métamorphes avec des badines en aulne ; les Allemands, avec des cannes en bois de framboisier ; les Londoniens, avec des massues de chêne. Quant aux Lettoniens, ils les fouettaient avec des fils d'argent tressés, leur infligeant de profondes blessures qui ne se refermaient pas et saignaient abondamment.

Si cette volée de coups ne suffisait pas, il restait d'autres options plus dangereuses encore pour la victime : être enterrée pendant vingt-quatre heures dans un sol consacré, par exemple, ou longuement immergée dans un baril d'eau bénite. Les lycanthropes qu'on enfermait dans un église pendant les trois jours requis pour leur guérison tendaient à y mourir de soif.

De tous les remèdes, celui mis en œuvre par les habitants de Prague était sans doute le plus draconien : pris en sandwich entre deux grilles métalliques, les loups-garous étaient suspendus au-dessus de charbons ardents pendant vingt-quatre heures tandis qu'un prêtre priait pour leur guérison. Ceux qui en réchappaient se retrouvaient atrocement défigurés. A choisir, peut-être auraient-ils préféré une balle en argent dans le cœur...

Au fond, pas de quoi s'étonner si Oz, chaque mois, préfère se barricader pendant quelques jours !

Quizz de l'apprentie tueuse

Questions

1. Qui est né le 8 février 1974 ?
   - A Seth Green
   - B James Marsters
   - C Robia La Morte
   - D David Boreanaz

2. Lequel des films suivants ne traite pas de loups-garous ?
   - A *Peur Bleue*
   - B *Howl*
   - C *Hurlements*
   - D *Bad Moon Rising*

3. Quelle société crée les effets spéciaux de maquillages pour *Buffy contre les Vampires* ?
   - A Industrial Light and Magic
   - B Optic Nerve Studios
   - C The Creature Hut
   - D Area 51

4. Des photos de sa naissance ont été utilisées dans une publicité pour l'accouchement naturel ; qui est-ce ?
   - A David Boreanaz
   - B Sarah Michelle Gellar
   - C Seth Green
   - D Alyson Hannigan

5. Quel film ne mettait pas en scène à la fois un vampire et un loup-garou ?
   - A *The Return of the Vampire*
   - B *Abbott et Costello contre Frankenstein*
   - C *Howling VI : The Freaks Wolf*
   - D *Wolf*

Réponses

1. A 2. B 3. B 4. C 5. D

Episode :

« Un Charme Déroutant »

Le résumé

Quand Alex devient l'objet du ridicule et de la pitié générale après que Cordélia l'eut largué en public durant la soirée de la Saint-Valentin organisée par le *Bronze*, il se tourne vers Amy l'apprentie-sorcière pour se venger. Malheureusement, le sort lancé par son amie fonctionne sur toute la population féminine de Sunnydale à l'exception de Cordélia, et Alex se retrouve poursuivi par une horde de prétendantes dont Willow armée d'une hache, Drusilla et même la mère de Buffy !

La version fouillée

Enchantée de faire ta connaissance

AMY : *Un sortilège d'amour ne fonctionnera que si tes intentions sont pures.*
ALEX : *Mon désir de vengeance est aussi pur que la neige fraîchement tombée.*

Comme Alex ne tarde pas à le découvrir dans cet épisode de *Buffy contre les Vampires*, les sortilèges d'amour ont aussi une face sombre. Même les membres de la Wicca moderne n'arrivent pas

Qui fait quoi ?

Numéro de production de l'épisode :
(Titre original : *Bewitched, Bothered and Bewildered*) 5V16
Date de première diffusion aux USA :
9 février 1998
Scénariste :
Marti Noxon
Réalisateur :
James A. Contner

Distribution	
Buffy Summers	Sarah Michelle Gellar
Alexandre Harris	Nicholas Brendon
Willow Rosenberg	Alyson Hannigan
Cordélia Chase	Charisma Carpenter
Rupert Giles	Anthony Stewart Head
Angel (Angélus)	David Boreanaz
Invités	
Oz	Seth Green
Joyce Summers	Kristine Sutherland
Jenny Calendar	Robia La Morte
Amy Madison	Elizabeth Anne Allen
Harmony	Mercedes McNab
Devon	Jason Hall
Kate	Jennie Chester
Copine de Cordélia	Kristen Winnicki
Garçon	Scott Hamm
Fille Furieuse	Tamara Braun
Spike	James Marsters
Drusilla	Juliet Landau
Mlle Beakman	Lorna Scott

à déterminer s'ils violent la seule véritable règle de la magie : ne jamais causer de tort à autrui. Le libre arbitre et le respect de l'individu occupent une place prépondérante dans le code de conduite des néopaïens, surtout ceux qui sont attachés au féminisme et à l'écologie.

Pourtant, malgré la violation évidente du libre arbitre de la victime, les charmes et les philtres d'amour occupent une place de choix dans les traditions magiques de toutes les régions. Certains thèmes et rituels, comme celui exécuté — de travers — par Amy, semblent universels, bien que la procédure exacte et les ingrédients puissent différer.

Le Rituel du Fil Rouge nous vient du Tibet, et franchement, il est difficile d'imaginer que son objet puisse ne pas être consentant ! Il consiste à enrouler un fil de soie rouge autour du corps de la personne aimée, pour prendre la mesure de sa silhouette et, métaphoriquement, de son âme. Cent douze nœuds doivent être exécutés : le premier près du cœur, ce qui tombe sous le sens, mais certains autres à des endroits plus curieux et beaucoup moins romantiques, comme la narine gauche (censée représenter la vigueur physique).

Les enseignements de Buffy

† Si ce n'est pas un rancard tant que le garçon n'a pas dépensé de l'argent, ce n'est pas un cadeau de la St-Valentin tant que la fille ne manifeste pas un minimum de reconnaissance.

† S'asseoir nu dans un laboratoire de chimie n'est sans doute pas le meilleur moyen de reconquérir sa petite amie.

† Trahir une Tueuse – ou sa mère – est très mauvais pour votre santé.

† Les concepts de « drague » et de « mère de votre meilleure amie » ne devraient pas cohabiter dans la même pensée.

Le cocon une fois réalisé et récupéré (un processus qui peut prendre jusqu'à quatre heures), est roulé en boule et noué par une cordelette plus épaisse autour du poignet de l'exécutant. Au fil des trois cycles lunaires suivants, celui-ci doit alterner bains de neige et de vapeur, jeûne et orgies de nourriture.

L'objet de son affection qui, pour une raison obscure, ne cherche pas à échapper à l'enchantement, est même invité à participer à certains de ces rituels. On juge que les efforts de l'officiant ont porté leurs fruits quand la personne aimée vient s'installer chez lui. Alors, le cocon est découpée en petits morceaux et rendu à son propriétaire légitime.

Impossible d'imaginer Cordélia laissant Alex l'enrouler dans de la soie (à moins que ça ne soit celle d'un fourreau Armani...), lui faire la cuisine ou l'entraîner nue dans la neige ! Le jeune homme est obligé d'employer un stratagème bien plus subtil...

L'Ancien Monde n'a pas le monopole des sortilèges d'amour. Même un pays aussi jeune que les Etats-Unis possède des traditions magiques régionales, certaines tout à fait charmantes, d'autres assez discrètes pour satisfaire les désirs d'Alex sans l'obliger à s'asseoir à demi nu au milieu d'un labo de chimie !

« Pour ensorceler votre amour, taisez-vous deux fois. Chuchotez-lui une fois votre nom à l'oreille, mais sans qu'il l'entende. Puis, par une nuit sans lune, appelez-le pour qu'il vous rejoigne porté par le vent noir. » Même Alex n'aurait pas pu se tromper en exécutant ce rituel des Appalaches ! Ou peut-être que si...

Les Papous de Nouvelle-Guinée utilisent un rituel appelé Charme des Rebuts. Muni d'un peu de l'essence de la personne aimée (de préférence sous forme de cheveux ou de sang), l'officiant va creuser un trou dans un buisson touffu pour l'y enterrer. Puis il danse autour vêtu de ciel (nu, pour les non païens), prie, urine dedans, rebouche le trou et dort dessus pendant sept nuits d'affilée. Sans se faire remarquer, il récupère la terre souillée et va alors la répandre sur les marches de la maison de la personne aimée.

Une semaine plus tard, celle-ci devrait venir lui déclarer sa flamme (les chaussures dégageant une drôle d'odeur...).

Mais si elle s'aperçoit qu'elle est manipulée et le rejette consciemment, il sera pendant treize cycles lunaires attiré de façon répétée et irrésistible par le petit trou creusé dans les buissons. Charmante tradition, n'est-ce pas ?

Il y a plus tordu encore. Prenons les rituels des paysans irakiens. Quand un membre du clan Balahani décide qu'il a trouvé sa moitié, il ne passe jamais par la case chocolats, fleurs et bijoux somp-

L'aviez-vous remarqué ?

Bien que Willow soit la groupie la plus adorable du monde, et que les Dingoes Ate My Baby aient un nom très... original, nous nous devons de mentionner les Four Star Mary : ce sont eux qui jouent à la place d'Oz et de ses camarades durant leurs apparition sur la scène du *Bronze*, et qui font danser Willow sur sa chaise !

•

Cet épisode se plaçant tout de suite après celui où le public a découvert l'alter ego poilu d'Oz, il semble très approprié que ce soit le jeune homme qui découvre Buffy nue dans la cave quand elle reprend sa forme humaine après sa métamorphose en rat. Après tout, ne se trouve-t-il pas dans la même situation trois nuits par mois ?

tueux coûtant plus de chèvres qu'il n'en possède. Non : il s'adresse au sage du coin, puis à un guide spirituel appelé *misha* (et qu'on qualifierait de sorcier dans d'autres cultures).

C'est ce dernier qui, en échange d'un certain nombre de chèvres (eh oui, il faut toujours payer à un moment ou à un autre...) s'occupera de faire la cour à sa belle. La première nuit, il se plantera devant chez elle pour brailler des affirmations destinées à l'impressionner : « Son troupeau est plus grand que le tien ! », par exemple, ou « Ton utérus ne restera jamais vide ! ».

Si la belle n'est pas instantanément charmée, le *misha* change de tactique et, pendant toute la journée du lendemain, lui décrit ce que sera sa vie si elle refuse d'accepter son client pour époux : « Ton visage se ridera et se couvrira de pustules ! », ou « Des poils te pousseront sur le menton ! ». Toujours pas intéressée ? « Tu contracteras une maladie génitale ! », « Un millier d'hommes te prendront pendant que tu hurleras ! ».

Bien qu'assez peu plaisantes, ces menaces ne sont pas à proprement parler un rituel magique. Ça, c'est au programme du troisième jour. Muni d'une chèvre, d'une douzaine de drapeaux multicolores, de cymbales et d'encens ressemblant à de la bouse séchée, le *misha* passe aux choses sérieuses. Au lever du soleil, il fait brûler une effigie de la belle et continue sur cette voie, qui culmine avec l'égorgement de la chèvre, demeurée au soleil toute la journée.

Dès la tombée de la nuit, il va répandre le sang sur la maison de la belle, maudit son père et ses frères, asperge tous les membres féminins de sa famille et rentre chez lui, certain que si la malheureuse n'ouvre pas grand les bras à son prétendant, elle fera une crise d'herpès génital (ou pire) avant le lendemain matin. Le plus beau, c'est que si le rituel échoue, le prétendant n'aura rien à payer : le *misha* retournera vers la famille de la belle et lui présentera sa note d'honoraires !

Ça vous paraît un peu sexiste ? Ça

l'est ! Mais bien que les femmes aient la réputation d'exercer leurs pouvoirs de sorcières sur de pauvres mâles incapables de se défendre, le peu d'histoire fiable parvenue jusqu'à nous suggère que les hommes sont davantage susceptibles de chercher un peu d'aide magique dans le jeu de l'amour. Finalement, Alex n'est peut-être pas tout seul dans son cercle du labo de chimie…

Quizz de l'apprentie tueuse

Questions

1. Quelle actrice de *Buffy contre les Vampires* a grandi à Las Vegas, dans le Nevada ?
   A Sarah Michelle Gellar
   B Kristine Sutherland
   C Alyson Hannigan
   D Charisma Carpenter

2. Laquelle des divinités suivantes n'a pas l'amour pour domaine d'intervention ?
   A Aphrodite
   B Cupidon
   C Vénus
   D Hel

3. Quel acteur de *Buffy contre les Vampires* s'est marié depuis le début de la série ?
   A Anthony Stewart Head
   B David Boreanaz
   C Alyson Hannigan
   D Seth Green

4. Qui est la mère de Juliet Landau ?
   A Barbara Bain
   B Catherine Deneuve
   C Audrey Hepburn
   D Judy Garland

5. Qui s'occupe des effets spéciaux visuels (par exemple, les tourbillons magiques scintillants) dans *Buffy contre les Vampires* ?
   A Industrial Light and Magic
   B Optic Nerve Studios
   C The Creature Hut
   D Area 51

Réponses

1. D 2. D 3. B 4. A 5. D

Episode :

« La Boule de Thésulah »

Le résumé

Pendant que Jenny Calendar cherche un moyen de rendre son âme à Angel en combinant cybertechnologie et magie, le démon qui s'est emparé du corps du vampire passe à l'action. Fidèle à sa promesse, il s'attaque aux proches de Buffy. La mère de la Tueuse, sa meilleur amie Willow, et même cette chipie de Cordélia, regrettent bientôt de lui avoir jadis accordé l'hospitalité car il peut maintenant pénétrer chez elles à loisir...

La version fouillée

Je tombe en morceaux

Dès les premières notes du générique de *Buffy contre les Vampires*, les fans de rock alternatif surent qu'ils allaient avoir droit à la bande-son la plus trépidante qu'une série télévisée ait jamais proposée à son public. Depuis, le morceau de Nerf Herder n'a pas été le seul à venir ponctuer les scènes d'action ou contribuer à l'ambiance du *Bronze*. La plupart des chansons sont interprétées par des groupes peu ou pas connus. Quelques-uns, comme Lotion, ont bénéficié d'une initiative rare dans le monde de la télévision : une publicité gratuite de cinq secondes à la fin de l'épisode concerné. Pour ceux d'entre vous qui souhaitent se procurer ces morceaux, en voici une liste non-exhaustive.

ÉPISODE	ARTISTE	CHANSON, ALBUM
« Sortilèges »	2 Unlimited	« Twilight Zone », *Get Ready*
« Le Chouchou du Prof »	Superfine	« Already Met You », *Stoner Love*
		« Stoner Love », *Stoner Love*
« Un Premier Rendez-Vous Manqué »	Three Day Wheely	« Rotten Apple », *Rubber Halo*
	Kim Richey	« Let the Sun Fall Down », *Kim Richey*
	Rubber	« Junky Girl », *Rubber*
	Velvet Chain	« Strong », *Groovy Side*
		« Treason », *Groovy Side*
« La Meute »	Far	« Job's Eyes », *Tin Cans with Strings to You*
« Alias Angélus »	Sophie Zelmani	«I'll Remember You», *Sophie Zelmani*

ÉPISODE	ARTISTE	CHANSON, ALBUM
« Le Manuscrit »	Jonatha Brooke & the Story	« Inconsolable », *Plumb*
« La Métamorphose de Buffy »	Cibo Matto	« Spoon », *Super Relax*
		« Sugar Water », *Viva ! LA Woman*
	Alison Krauss & Union Station	« It Doesn't matter », *So Long So Wrong*
« Attaque à Sunnydale »	Nickel	« 1000 nights », *Stupid Thing*
		« Stupid Thing », *Stupid Thing*
« La Momie Inca »	Four Star Mary	« Shadows », *Four Star Mary*
		« Fate », *Four Star Mary*
« Dévotion »	Act of Faith	« Bring Me On », *Delta Zeta Kappa*
	Louie Says	« She », *Gravity, Suffering, Love and Fate*
« Halloween »	Epperley	« Shy », *Epperley*
	Trouble Charger	« How She Died », *Maybe It's Me*

ÉPISODE	ARTISTE	CHANSON, ALBUM
« Mensonge »	Creaming Jesus	« Reptile », *Gothic Rocki*
	The Sisters of Mercy	« Neverland », *Floodland*
	Willoughby	« Lois, on the Brink », *Be Better Soon*
« Innocence »	Rasputina	« Transylvanian Concubine », *Thanks for the Ether*
« Pleine Lune »	Lotion	« Blind for Now », *Nobody's Cool*
« Un Charme Déroutant »	The Average White Band	« Got the Love », *The Average White Band*
	Four Star Mary	« Pain », *Four Star Mary*
	Naked	« Drift Away », *Naked*
« La Boule de Thésulah »	Morcheeba	« Never an Easy Way », *Who Can You Trust ?*

ÉPISODE	ARTISTE	CHANSON, ALBUM
« La Soirée de Sadie Hawkins »	The Flamingos	« I Only Have Eyes for You », *The Best of the Flamingos*
	Splendid	« Charge », en concert seulement
« Les Hommes-Poissons »	Naked	« Mann's Chinese », *Naked*
	Nero's Rome	« If You'd Listen », *Togetherly*
« Acathla »	Sarah McLachlan	« Full of Grace », *Surfacing*

Les fans de Sprung Monkey ont dû avoir l'impression d'écouter tout leur CD favori en regardant l'épisode pilote de la série où figuraient pas moins de cinq chansons extraites de *Swirl*, le premier album du groupe : *Believe* pendant les scènes au *Bronze*, *Saturated*, *Things Are Changing*, *Right My Wrong* et bien sûr le morceau-titre, *Swirl*. Une sixième chanson de cet album, *Reluctant Man* donnait le ton de l'épisode « La Meute ».

Les Dashboard Prophets sont aussi apparus deux fois au générique de la série, dans les mêmes épisodes, avec

Qui fait quoi ?

Numéro de production de l'épisode :
(Titre original : *Passion*) 5V17
Date de première diffusion aux USA :
24 février 1998
Scénariste : Ty King
Réalisateur : Michael E. Gershman

Distribution

Buffy Summers	Sarah Michelle Gellar
Alexandre Harris	Nicholas Brendon
Willow Rosenberg	Alyson Hannigan
Cordélia Chase	Charisma Carpenter
Rupert Giles	Anthony Stewart Head

Invités

Angel (Angélus)	David Boreanaz
Joyce Summers	Kristine Sutherland
Jenny Calendar	Robia La Morte
Spike	James Marsters
Drusilla	Juliet Landau

trois morceaux tirés de leur album Bring Out the Inside : *Ballad for Dead Friends* et *Wearing me Down* dans la deuxième partie de « Bienvenue à Sunnydale », *All You Want* dans « La Meute ».

Beaucoup de groupes sont apparus en chair et en os devant la caméra, notamment sur la scène du *Bronze*. Mais parfois, il a fallu recourir au doublage, comme dans le cas des Dingoes Ate My Baby qui interprètent en réalité des chansons de Four Star Mary.

Le nom de Christopher Beck ne dirait sans doute pas grand-chose à la plupart des vendeurs de disques ; pourtant, son influence se fait sentir dans presque toute la bande-son de *Buffy contre les Vampires*. C'est à lui que l'on doit les solos émouvants de violoncelle qui soulignent les scènes les plus tragiques.

N'oublions pas non plus la contribution de Shawn K. Clement et de Sean W. Murray, les compositeurs attitrés de la série : ils ont produit de petits bijoux comme *Anything*, que l'on entend dans la première partie d'« Innocence », ainsi que la plupart des instrumentaux d'ambiance. Ce sont eux qui gèrent tous les problèmes relatifs à la bande-son de *Buffy contre les Vampires*. Par exemple, l'utilisation de *Neverland* des Sisters of Mercy dans « Mensonge » ayant soulevé des protestations, ils réengregistrèrent complètement ce morceau avant la première rediffusion.

Les enseignements de Buffy

† Récupérez toujours votre clé après une rupture.

† Travailler tard, c'est rarement une bonne idée, surtout à Sunnydale.

† Les foulards et les cheveux détachés : non seulement c'est joli, mais ça permet de dissimuler les tatouages.

† Savoir qu'un garçon fait votre portrait pendant la nuit vous pousse à vous interroger sur le choix de votre pyjama.

† Un bibliothécaire n'est sans doute pas la personne la plus indiquée pour discuter de votre vie sexuelle avec votre mère.

Quizz de l'apprentie tueuse

Questions

1. Traditionnellement, qu'advient-ils des biens d'un Gitan après sa mort ?
   A Ils sont enterrés avec le corps
   B Ils sont brûlés avec le corps
   C Ils sont répartis entre la famille et les amis
   D Ils sont détruits par la famille et les amis

2. Quel acteur de *Buffy contre les Vampires* a interprété Jésus ?
   A Anthony Stewart Head
   B Armin Shimerman
   C James Marsters
   D Seth Green

3. Quel présentateur de talk show américain apparaissait dans le film *Buffy contre les Vampires* ?
   A Maury Povitch
   B Geraldo Rivera
   C Ricki Lake
   D Rosie O'Donnell

4. Qui est diplômé de l'Université d'Ithaca, dans l'état de New York ?
   A Sarah Michelle Gellar
   B Alyson Hannigan
   C Charisma Carpenter
   D David Boreanaz

5. Quel était le nom de l'Observateur interprété par Donald Sutherland dans le film *Buffy contre les Vampires* ?
   A Martin
   B Merrick
   C Moulton
   D Mayo

Réponses

1. D 2. A 3. C 4. D 5. B

Episode :

« Réminiscence »

Le résumé

Au moment où il semble que les choses ne pourront plus empirer, et qu'Angélus a atteint le sommet de son sadisme, Buffy est foudroyée par la maladie la plus ordinaire du monde : la grippe. Elle a tant de fièvre qu'elle n'arrive plus à marcher droit, et moins encore à défendre ses proches menacés par son ex-petit ami. Malheureusement, comme beaucoup de choses à Sunnydale, l'hôpital n'est pas exactement ce qu'il paraît : la Mort en personne hante ses couloirs...

La version fouillée

Où nous rencontrons la Mort

Le paradis est sans doute un endroit merveilleux, mais personne n'a envie de mourir pour y arriver !

— Jeff Moulton

Essayez de vous taper sur le doigt avec un marteau. De toutes vos forces, comme la fois où vous avez voulu accrocher un tableau/fabriquer des étagères ou une niche pour le chien. Je parie que vous n'y arriverez pas. (Sinon, vous avez plus de problèmes psychologiques que ce livre ne prétend en résoudre !)

Le fait est : malgré la fragilité de son corps, les records de vitesse qu'il tente en permanence de battre et sa tendance à faire du lard devant la télévision, l'être humain a un instinct de survie remarquable. Ensevelissez une poignée de bipèdes sous des tonnes de piliers réarrangés par un tremblement de terre.

Douze jours plus tard, vous verrez émerger au moins l'un d'entre eux, ravi de se faire prendre en photo avec un chien policier.

Si un enfant tombe au fond d'un puits de vingt centimètres de large, tous les adultes du coin interrompront aussitôt leur travail pour se porter au secours du petit curieux. Kidnappez le petit coquin, et le pays entier se mobilisera pour le retrouver. Comme le fait remarquer Borghini, qui vécut jusqu'à l'âge de cent douze ans, « Nous passons les neuf premiers dixièmes de notre vie à chercher un moyen d'échapper au dernier en trompant la mort. »

Il n'est guère surprenant qu'une série qui se focalise sur notre inconscient collectif ait fini par s'intéresser à notre plus grande peur ; en revanche, les spectateurs furent agréablement étonnés de voir la mort se manifester sous une incarnation tangible, comme beaucoup de cultures aiment à se la représenter.

Hippocrate décrivait la mort comme une vapeur maléfique, une « humeur dans l'air qui ôte à ses victimes la volonté de vivre ». Même s'il refusait d'adhérer aux croyances de son époque, selon lesquelles la mort était un vieillard aux mains griffues venu emporter les gens dans leur sommeil, il ne put y échapper tout à fait : son « humeur » agissait de façon réfléchie, délibérée, hostile à la race humaine. Nous aimerions tous croire que nous sommes immortels, que seule l'intervention d'un agent extérieur peut interrompre le cours de notre existence ; c'est pourquoi nous refusons de voir la mort comme le résultat inévitable de la vie.

Buffy contre les Vampires a toujours joué sur les concepts de vivant et de mort, y ajoutant celui de mort-vivant pour brouiller davantage les cartes, puis nous montrant des âmes susceptibles d'être évincées et rappelées ensuite à l'aide d'un sortilège gitan, d'un ordinateur et d'une boule de cristal. Si nous sommes prêts à croire qu'Angel erre quelque part dans l'éther, nous pouvons bien avaler qu'une des créatures qui le

Qui fait quoi ?

Numéro de production de l'épisode :
(Titre original : *Killed by Death*) 5V18
Date de première diffusion aux USA :
3 mars 1998
Scénaristes :
Rob Des Hotel et Dean Batali
Rélisateur :
Deran Sarafian

Distribution

Buffy Summers	Sarah Michelle Gellar
Alexandre Harris	Nicholas Brendon
Willow Rosenberg	Alyson Hannigan
Cordélia Chase	Charisma Carpenter
Rupert Giles	Anthony Stewart Head

Invités

Angel (Angélus)	David Boreanaz
Joyce Summers	Kristine Sutherland
Buffy Enfant	Mimi Paley
Ryan	Andrew Ducote
Célia	Denise Johnson
Der Kindestod	James Jude Courtney
Docteur Stanley Backer	Richard Herd
Garde	Willie Garson
Interne	Robert Munic

peuplent est un ogre qui arpente les couloirs d'hôpitaux à la recherche de victimes.

De tous les habitants de Sunnydale, c'est Angel qui devrait accepter le mieux l'*incarnation* de la mort. Irlandais de naissance, il a dû grandir entouré par trois des meilleures représentations macabres que notre monde ait jamais produites. Non que les Celtes aient été des gens morbides, mais...

La Chasse Sauvage, des créatures qui émergeaient d'une sorte de Bouche de l'Enfer pour enlever les vivants et les entraîner dans leur dimension, apparaît dans de nombreux récits originaires d'Irlande ou de Grande-Bretagne. Au Pays de Galles, les cris d'un vol d'oies sauvages annoncent l'arrivée imminente de la Mort et le trépas subséquent d'un des chefs de la communauté.

Egalement connue sous le nom de *Cwn Manau* (Les Chiens des Mères), la Chasse Sauvage apparaît sous la forme d'une meute de chiens de chasse blancs, minces et musclés, aux yeux rouges brillants et à la langue pendante. Ils rabattent les âmes des vivants vers leur maître, qui les guide alors sur le chemin de l'Enfer. (Il n'est pas difficile de deviner la réalité sous le mythe : dans l'Irlande d'autrefois, quiconque croisait un chien sauvage au détour d'un chemin désert ne faisait pas de vieux os...). Les Anglais ont une version légèrement différente, *Cwn Annwn*, où des molosses fantômes et les âmes des morts arpentent la campagne à la recherche de pauvres hères à qui faire prendre leur place, car la Mort ne connaît qu'une seule monnaie d'échange.

Une version plus moderne de la Chasse Sauvage a fait son apparition il y a un peu plus de deux siècles. Le Chariot de la Mort, qu'on retrouve dans le folklore français et allemand, doit sans doute beaucoup au développement des cortèges funèbres jusque dans les plus petites communautés. La personne sur le point de mourir entend le raclement de sabots et le tintement de clochettes, comme celles qui ornaient les harnais des chevaux à l'époque. Si elle regarde dehors, elle peut voir un long chariot drapé de noir et tiré par un attelage de trois chevaux se diriger lentement vers sa maison. Aucun cocher n'occupe le siège. Mais peu de temps après, la porte s'ouvre et la main gantée de la Mort fait signe à sa victime de la suivre.

Les enseignements de Buffy

† Parents, prenez note : si votre enfant vous supplie de le laisser à l'hôpital, il se trame sans doute quelque chose de louche.

† Qui a dit que la grippe ne tuait pas ?

† Classer toutes vos connaissances en « vampires » et « non vampires » simplifie vraiment l'existence.

† En toutes circonstances, le chocolat remplace avantageusement une carte de vœux.

† « Le tact, ça consiste à ne pas dire la vérité. D'accord, je me tais. » — Cordélia

Généralement femelle, la banshee (*Ban-Sidhe* ou esprit de la mort, par opposition au *Leanan-Sidhe* ou esprit de la vie) n'était pas une apparition courante, même aux yeux des agonisants. Elle ne se manifestait qu'à un petit groupe de familles « touchées par les fées » : un euphémisme désignant les artistes et les orateurs. Ses descriptions vont d'une très belle jeune fille aux cheveux d'or tressés à une vieille femme hurlante affligée d'un bec-de-lièvre.

Séduisante ou repoussante, mâle ou femelle, jeune ou vieille, la Mort semble avoir battu la campagne irlandaise sous toute sorte de déguisements. Dans le reste du monde, citons Auraka le Dévoreur, une incarnation polynésienne qui dévorait l'âme de ses victimes après les avoir enterrées dans la boue jusqu'à la poitrine. Guta, un démon hongrois, aimait s'adonner au sadomasochisme avant de passer à table. Il entraînait ses victimes dans de sombres cavernes, où il les battait à mort pour libérer leur âme et pouvoir s'en repaître.

Giltine, l'incarnation lituanienne — à l'instar de Der Kindestod — aimait arpenter les couloirs d'hôpital. Toujours vêtue de blanc immaculé, elle apparaissait sous les traits d'une belle jeune femme uniquement visible par ses victimes. Elle étranglait les enfants, asphyxiait les femmes avec un oreiller et les hommes en les embrassant.

Beaucoup de cultures représentent la Mort sous une forme animale (corbeau, chauve-souris, hibou, serpent... n'importe quelle créature locale et nocturne pouvait faire l'affaire), susceptible d'adopter figure humaine si elle le souhaite.

L'incarnation la plus récente de la Mort, en Amérique du Nord et en Europe, est celle de la Faucheuse : la plus proche du Der Kindestod de *Buffy contre les Vampires*. A l'origine, on la représentait comme un squelette vêtu d'une grande robe noire et muni d'une faux à la lame aiguisée, qui lui servait à trancher la vie de ses victimes. Une version anglaise des années 20, un peu plus recherchée que son équivalent américain d'Halloween, parle d'un homme aux vêtements aristocratiques mais usés, aux yeux cernés et aux mains dissimulées par des gants. La Mort avec des problèmes de garde-robe ; on aura tout vu !

L'aviez-vous remarqué ?

Buffy relève enfin ses cheveux. Mais comme elle n'est jamais filmée de dos, nous ne saurons pas si elle s'est débarrassée ou non du tatouage fait par Ethan Rayne dans « La Face Cachée ».

•

Oups ! Quand Buffy jette un coup d'œil dans l'aile des enfants, il n'y a pas de lumière bleue au-dessus de la porte du sous-sol. Quand l'image revient à l'écran après la coupure publicitaire, celle-ci est clairement visible.

•

D'accord, les rêves sont rarement crédibles, mais celui de Buffy décroche le pompon ! La première fois qu'on la voit allongée dans son lit, elle est sous perfusion. Puis, quand elle repousse les couvertures pour se lever, les tubes disparaissent mystérieusement. Quant à son réveil, il passe de 2 h 27 à 2 h 15 !

Pourquoi des gens issus de cultures si différentes s'obstinent-ils à représenter à leur propre image leur pire ennemie ? Buffy connaît la réponse à cette question : il est bien plus facile de rêver qu'on botte un arrière-train s'il y a un arrière-train à botter !

Quizz de l'apprentie tueuse

Questions

1. Laquelle des divinités suivantes n'a pas la mort pour domaine d'intervention ?
   A Dis
   B Hadès
   C Eos
   D Pluton

2. Qui interprétait le père de Buffy dans le film ?
   A Dean Butler
   B Ken Lerner
   C Luke Perry
   D James Paradise

3. Qui interprétait la mère de Buffy dans le film ?
   A Kristy Swanson
   B Kristine Sutherland
   C Natasha Wagner
   D Candy Clark

4. Qu'ont en commun Jennifer Badger, Clay Barber, Sophia Crawford, Jeffrey Eith, Hannah Kozak et Michelle Sebek ?
   A Ils sont tous cascadeurs pour *Buffy contre les Vampires*
   B Ils sont tous décorateurs pour *Buffy contre les Vampires*
   C Ils sont tous scénaristes pour *Buffy contre les Vampires*
   D Ils sont tous cameramen pour *Buffy contre les Vampires*

5. Lequel de ces classiques du cinéma vampirique n'est pas une parodie tournée avant le début de la série *Buffy contre les Vampires* ?
   A *Abbott et Costello contre Frankenstein*
   B *Love at First Bite*
   C *Once Bitten*
   D *Bram Stoker's Dracula*

Réponses

1. C 2. D 3. D 4. A 5. D

Episode :

« La Soirée de Sadie Hawkins »

Le résumé

Traîner dans les couloirs du lycée se change en parcours du combattant quand deux fantômes se piquent de posséder tous les gens qui passent à l'endroit où, quarante ans plus tôt, un élève tua un professeur. Les planchers se dérobent, des guêpes emménagent et les serpents envahissent la cafétéria. Pour tout arranger, Giles est en proie à une profonde dépression suite au meurtre de sa bien-aimée Jenny Calendar... La bande à Buffy aura fort à faire pour pratiquer un exorcisme.

La version fouillée

D'où ils sortent, ceux-là ?

Quand les scénaristes de *Buffy contre les Vampires* se décidèrent enfin à pondre une histoire de fantômes, au bout d'une trentaine d'épisodes, ils étaient bien décidés à honorer la tradition tout en lui imprimant leur « patte ».

Pour cela, ils s'approprièrent tous les éléments d'une *hantise* classique : d'abord, un endroit auquel lier l'apparition des spectres. Qu'il s'agisse d'un balcon surplombant un escalier de pierre abrupt a d'ailleurs permis quelques prises de vue spectaculaires.

Ensuite, ils imaginèrent non une mais deux morts violentes justifiant le déclenchement de phénomènes paranormaux. Survenant juste après la fin tragique de Jenny Calendar dans « La Boule de Thésulah », ceux-ci purent être liés de façon très pertinente au chagrin de Giles…

Bien qu'on se demande comment le bibliothécaire a deviné que Jenny n'a pas été tuée dans son lit, où il l'a retrouvée, mais à l'intérieur du lycée ? Dans le cas contraire, c'est sa maison qu'elle devrait hanter !

Les scénaristes n'ont pas oublié la caractéristique la plus importante d'une hantise : son aspect répétitif. De la même façon que les fantômes de deux jeunes garçons sont censés arpenter à jamais les marches de la Tour de Londres, ceux du lycée de Sunnydale semblent condamner à rejouer la scène de leur mort. Ils possèdent les vivants pour leur faire répéter chacune de leurs phrases et de leurs actions.

Si les scénaristes avaient adhéré strictement aux règles du genre, nous aurions été privés d'une fin alternative très émouvante. Pour nous la concocter, ils ont fait appel à quelques trouvailles et à un ou deux autres phénomènes paranormaux qui ont surpris autant qu'enchanté les spectateurs.

Les fantômes ordinaires ne tardent

pas à devenir ennuyeux. Ils ne parlent pas (même pour dire « Bouh ! »), ne font pas tomber de livres et ne téléportent pas tous les serpents du voisinage au milieu d'une cafétéria ! En fait, le seul ectoplasme qui possède un contrôle sur le monde matériel est le poltergeist.

Si l'on en croit les recherches psychiques en la matière (et les scénaristes de *Buffy contre les Vampires* font tout pour nous y pousser !), cette créature a le don de psychokinésie. Elle est donc capable de propulser des objets, de les dissimuler, de les faire tomber ou léviter.

En 1955 (la date relève d'une pure coïncidence), Murray Seicher, un inspecteur sceptique de Raleigh, en Californie du Nord, enquêta sur un cas d'intervention de poltergeist chez Anna Weiser, quarante-deux ans, et sa fille May âgée de dix-huit ans. Ses rapports signalent huit cent douze incidents sur une période de neuf mois, dont deux qui donneraient à la bande à Buffy une impression de déjà vu.

Le 16 juin, Seicher écrivit : « J'ai fortement recommandé à Mme Weiser et à sa fille de quitter les lieux. En plus des chocs incessants qui ébranlent la chambre sud-est, les vitrines de son défunt mari ont été victimes d'incidents répétés et potentiellement dangereux. Aujourd'hui, nous avons découvert que deux pistolets avaient disparu. C'est un coup de feu tiré par une arme d'ordonnance de 1918 qui a d'abord attiré notre attention, peu après deux heures du matin. M'étant posté dans la salle à manger (où se dressent ces vitrines) pour monter la garde, je peux témoigner que ni Mme Weiser ni sa fille ne s'y trouvaient alors : elles sont descendues de leur chambre quelques secondes plus tard par un escalier visible, depuis ma position. »

Avant le lever du jour, vers six heures trente, Murray Seicher jugea plus prudent d'ôter toutes les balles encore logées dans le canon des armes. Il se souvenait très bien d'une paire de pistolets encore exposés dans la vitrine de droite au moment du coup de feu. Mais ceux-ci s'étaient volatilisés sans qu'aucune des deux femmes ne s'en soit approché.

L'un d'eux fut retrouvé trois jours plus tard, posé bien en évidence sous le porche de la maison, à un endroit où plusieurs personnes étaient passées sans rien remarquer une heure auparavant. Le second réapparut début novembre, quand une équipe de nettoyage engagée par Mme Weiser le découvrit logé sous un évier d'émail, au sous-sol.

Le 29 décembre, Seicher écrivit : « Nous avons été forcés d'évacuer la maison aujourd'hui. Bien que l'hiver soit déjà là, un essaim de guêpes est apparu

Qui fait quoi ?

Numéro de production de l'épisode :
(Titre original : *I Only Have Eyes for You*) 5V19
Date de première diffusion aux USA :
28 avril 1998
Scénariste :
Marti Noxon
Réalisateur :
James Whitmore Jr.

Distribution	
Buffy Summers	Sarah Michelle Gellar
Alexandre Harris	Nicholas Brendon
Willow Rosenberg	Alyson Hannigan
Cordélia Chase	Charisma Carpenter
Rupert Giles	Anthony Stewart Head
Invités	
Angel (Angélus)	David Boreanaz
Spike	James Marsters
Drusilla	Juliet Landau
Proviseur Snyder	Armin Shimerman
James Stanley	Christopher Gorham
Grace Newman	Meredith Salinger
Mlle Frank	Miriam Flynn
George	John Hawkes
Fille qui se dispute	Sarah Bibb
Garçon qui se dispute	Brian Poth
Fille Nº 1 (années 50)	Anna Coman-Hidy
Fille Nº 2 (années 50)	Vanessa Bodnar
Policier	Brian Reddy
M. Miller	James Lurie
Ben	Ryan Taszreak

dans la chambre de devant pendant le souper. » Seicher, Mme Weiser, May et la cuisinière Margaret Snowden étaient dans la salle à manger quand ils entendirent de forts bourdonnements à l'étage du dessus. Anna Weiser fut piquée deux fois en allant voir de quoi il retournait.

Les volontaires de la caserne de pompiers locale, appelés en renfort, témoignent qu'ils durent utiliser leurs échelles pour accéder aux fenêtres de la chambre et en forcer l'ouverture, afin de permettre aux insectes de s'échapper de la maison plutôt que de se déverser à l'intérieur. Ils rapportent qu'ils eurent beaucoup de mal à ouvrir ces fenêtres, car elles avaient été repeintes peu de temps auparavant. Un examen détaillé de la pièce, des murs, du plafond et du grenier ne permit pas de localiser le trou où les guêpes auraient pu s'introduire. Comme quoi, les insectes qui font « bzz ! » ne sévissent pas qu'à Sunnydale...

La plupart des gens ne considèrent pas les investigations paranormales comme relevant du domaine de la science ; mais elles ont permis d'établir un certain nombre de théories. Celles qui concernent les poltergeists jettent un nouvel éclairage sur « La Soirée de Sadie Hawkins ».

Dès 1889, des chercheurs remarquèrent la présence d'une même jeune femme dans tous les cas d'activité télékinétique. En 1956, Claude Playfair avança que la cause de tous ces incidents n'était pas un pur esprit, mais des adolescentes souffrant d'un déséquilibre hormonal dû à la puberté, qui manifestaient inconsciemment leurs pouvoirs psychiques. Toutefois, il n'a jamais expliqué en détail la relation entre puberté et capacité de déplacer par la pensée des objets très lourds. Il jugeait seulement que la libération de leur énergie

Les enseignements de Buffy

† Echanger des balles ne fait pas partie d'un flirt traditionnel.

† Si votre lycée date de plus de quarante ans et que les portes deviennent mystérieusement automatiques, vous avez le droit d'avoir peur.

† Même deux jours sans école ne compensent pas une morsure de serpent.

psychique servait de soupape de sécurité aux adolescentes tourmentées ; la plupart du temps, selon lui, elles ne réalisaient même pas qu'elles étaient la source des incidents.

Si nous appliquons cette théorie à « La Soirée de Sadie Hawkins », nous pouvons établir un certain nombre de parallèles. Difficile d'imaginer plus tourmentée par sa puberté que Buffy ! Sa mère ne la comprend pas ; son petit ami a couché avec elle et s'est métamorphosé en un démon qui tue ses amis ; pour couronner le tout, elle ne peut même pas lui passer un bon savon parce que son âme a émigré dans un autre plan d'existence !

L'aviez-vous remarqué ?

Oups ! Erreur historique. Si le meurtre de Grace a eu lieu en 1955, comment son amant et elle pouvaient-ils danser au son de *I Only Have Eyes for You*, qui n'a été enregistré par les Flamingos qu'en 1959 ?

•

C'est peut-être à cause de l'annonce de trente secondes dirigeant les spectateurs vers des organismes de prévention contre le suicide, ou des incohérences du montage (prenons les deux scènes où la bande à Buffy se tient devant le lycée en train d'observer les guêpes, et comptons les jambes… nous en trouverons deux de trop), mais « La Soirée de Sadie Hawkins » paraît beaucoup plus court que les autres épisodes de la série. La preuve ?

Découpage

	COMMENCE À	SE TERMINE À	TEMPS TOTAL
Pré-générique	0'00	3'56	3'56
Générique	3'56	4'45	0'49
Acte un	4'55	14'04	9'09
Acte deux	15'02	24'34	9'32
Acte trois	26'48	37'01	10'13
Acte quatre	37'56	47'47	9'51
Générique de fin	52'10	52'42	0'32

DUREE RÉELLE DE L'ÉPISODE : 42'41

COUPURES PUBLICITAIRES ET PROMOTIONNELLES : 17'19

A peine les deux tiers du temps d'antenne ont été consacrés au développement du scénario !

Autrement dit, sa présence peut expliquer pas mal d'événements survenus pendant cet épisode.

Pourquoi les fantômes se manifestent-ils quarante-trois ans après le meurtre, plutôt que vingt-cinq ou cinquante ? Parce que c'est la première fois que le lycée organise une soirée de Sadie Hawkins depuis, ou parce que c'est la première fois que Buffy y assistera ?

Dans l'ensemble, elle est la seule personne systématiquement présente quand se produisent les incidents : quand Alex ouvre son vestiaire, quand son profes-

Le premier samedi de novembre

Par la présente, nous proclamons le samedi 4 novembre Jour de Sadie Hawkins. Les jouvencelles qui ne sont pas mariées et désespèrent de le devenir participeront à une course à pied, durant laquelle elles chasseront les mâles célibataires. Celui qu'elles attraperont devra, en vertu de la loi, les épouser sans chercher à s'y dérober.

— Déclaration du Jour de Sadie Hawkins, 1939 (dans la bande dessinée humoristique *Lil'Abner*)

seur écrit sur le tableau, quand les spaghetti de Cordélia se changent en serpents... C'est elle qui rêve du couple tragique formé par James et Grace, elle qui entend le jeune homme l'appeler, elle qui l'aperçoit dans la salle de bal, et surtout elle qui s'identifie à lui. Un investigateur du paranormal démontrerait facilement qu'elle transfère ainsi ses problèmes émotionnels sur un plan physique.

Une *hantise* ordinaire n'expliquerait pas non plus comment cinq personnes différentes (plus un vampire) sont forcées de reprendre les rôles de James et de Grace ! Les fantômes peuvent hanter une maison, une tour, un pont voire un lycée, mais posséder les vivants, c'est une autre histoire !

Nous avons déjà parlé de la possession démoniaque en tant que pilier du Buffyvers. Elle est cause du vampirisme en général et de la rencontre de Jenny Calendar avec Eyghon. Passer à la possession par un esprit n'est pas bien difficile : ça explique qu'un professeur se retrouve soudain doté de talents de médium, et qu'un autre se fasse abattre par le concierge du lycée.

Certains puristes penseront peut-être que c'était de la triche de combiner fantômes et poltergeists, un moyen facile de justifier les trous du scénario. Mais tant que cela sert à divertir les spectateurs, gageons que la plupart n'y trouveront rien à redire.

Quizz de l'apprentie tueuse

Questions

1. Quelle actrice de *Buffy contre les Vampires* a joué deux personnages différents dans *La Famille Addams* et sa suite, *Les Valeurs de la Famille Addams* ?
   A Elizabeth Anne Allen
   B Bianca Lawson
   C Susan Leslie
   D Mercedes McNab

2. Quel acteur de *Buffy contre les Vampires* a interprété le rôle de Frank-n-Furter dans *The Rocky Horror Picture Show* ?
   A Armin Shimerman
   B Anthony Stewart Head
   C Seth Green
   D James Marsters

3. Lequel de ces titres n'est pas celui d'une chanson parlant de vampires ?
   A *Dinner with Drac*
   B *The Monster Mash*
   C *Bela Lugosi's Dead*
   D *I Gotta Wear Shades*

4. Lequel des films suivants met en scène un personnage obligé de revivre sans cesse la même journée ?
   - A *Un Jour sans Fin*
   - B *Génération Perdue*
   - C *Speed*
   - D *Souviens-toi, l'été dernier...*

5. Dans lequel de ces films Sarah Michelle Gellar n'a-t-elle pas joué ?
   - A *Souviens-toi, l'été dernier*
   - B *Scream 2*
   - C *Buffy contre les Vampires*
   - D *Sexe Intentions*

Réponses

1. D 2. B 3. D 4. A (il n'y avait pas de piège !) 5. C

Episode :

« Les Hommes-Poissons »

Le résumé

Buffy commence à s'ennuyer ferme quand des monstres marins s'attaquent soudain à la glorieuse équipe de natation de Sunnydale. Tandis que ses meilleurs éléments disparaissent l'un après l'autre, et que l'entraîneur se comporte comme s'il était sur le point de remporter les Jeux Olympiques, la Tueuse soupçonne que les monstres ne sont qu'une partie du problème, et que le personnel du lycée pourrait bien être l'autre !

La version fouillée

Qui a peur de l'eau ?

Qui a peur de l'eau ? Presque tout le monde, pour peu qu'elle soit noire, profonde ou infestée de monstres. Si elle était les trois, nul doute : comme Alex, vous prendriez vos jambes à votre cou pour vous « enfuir comme une gonzesse » !

La peur humaine des profondeurs et des créatures qui les peuplent remonte à l'Antiquité. Autrefois, on jetait de jeunes vierges dans l'océan pour apaiser les dieux hideux et colériques qui étaient censés l'habiter. Plus récemment se sont développées des légendes comme celle du monstre du Loch Ness, en Ecosse. Elles ont fourni au cinéma et à la télévision un nouveau moyen de plonger dans notre inconscient collectif, et les films pleins de monstres marins n'ont pas tardé à devenir un *standard*. Bien que la plupart soient basés sur les derniers progrès en matière d'effets spéciaux plutôt que sur un scénario original, ils doivent leur popularité à l'exploitation de nos peurs les plus enfouies. Les meilleurs ne se contentent pas de nous faire trembler de la tête aux pieds, mais nous forcent à passer la seconde vitesse mentale.

Joss Whedon et son équipe ayant l'habitude de jouer sur nos terreurs intimes, pas étonnant qu'ils aient repris la tradition à leur compte dans le cadre pourtant improbable d'un lycée californien, sans s'excuser le moins du monde de s'approprier ainsi quantité de clichés et de légendes urbaines.

En découvrant la première scène des « Hommes-Poissons », beaucoup de fans de Sarah Michelle Gellar ont dû se dire : « Hé, ça ressemble furieusement au début de *Souviens-Toi, l'Eté Dernier* ! » Il est vrai que dans ce film, l'actrice et ses camarades faisaient la fête sur la plage avant de se mettre à hurler pendant près de deux heures, mais on peut en dire autant de beaucoup de productions du genre.

Souvenez-vous des *Dents de la Mer* ou des différentes incarnations de *La Créature du Lagon Noir*. Chaque scénario commençait invariablement par quelque chose comme « Extérieur nuit, au bord de la plage. Une jeune fille observe l'horizon tandis que les vagues viennent mourir à ses pieds. » Ça ne vous rappelle rien ?

Après cette première scène, les récits divergent. Mais les spectateurs comme les scénaristes aiment les constantes universelles, les pierres d'angle qui leur permettent de savoir immédiatement dans quel genre d'histoire ils sont plongés. Si vous êtes attentif, vous en aurez reconnu plusieurs autres dans « Les Hommes-Poissons ».

Le public doit détester la première victime.

Il ne faut surtout pas que ses cris de terreur soient dès le début affaiblis par un sentimentalisme bon marché. Ce n'est pas un hasard si la première victime de cet épisode est le type qui, quelques

Qui fait quoi ?

Numéro de production de l'épisode :
(Titre original : *Go Fish*) 5V20
Date de première diffusion aux USA :
5 mai 1998
Scénaristes :
Elin Hampton et David Fury
Réalisateur :
David Semel

Distribution

Buffy Summers	Sarah Michelle Gellar
Alexandre Harris	Nicholas Brendon
Willow Rosenberg	Alyson Hannigan
Cordélia Chase	Charisma Carpenter
Rupert Giles	Anthony Stewart Head

Invités

Angel (Angélus)	David Boreanaz
Proviseur Snyder	Armin Shimerman
Entraîneur Marin	Charles Cypher
Infirmière Greenleigh	Conchata Ferrell
Cameron Walker	Jeremy Garrett
Gage Petronzi	Wentworth Miller
Dodd McAlvy	Jake Patellis
Sean	Shane West
Jonathan	Danny Strong

secondes plus tôt, torturait un malheureux asthmatique en essayant de le noyer.

Les victimes suivantes, au nombre de trois par heure, doivent devenir progressivement plus sympathiques.

Le second nageur disparu était assez anodin, mais ne vous souvenez-vous pas du troisième avec un serrement de cœur ? Celui qui demandait timidement à Buffy de le raccompagner à la maison, ou qui lui adressait un petit signe de la main depuis la piscine ? Les scénaristes voulaient que vous vous en rappeliez au moment où le monstre Nº 3 accule la Tueuse.

Toutes les prises de vue aquatiques doivent être troubles.

Une belle plage avec de l'eau transparente et pas une seule prise de vue sous-marine. Mais jetez une infirmière ou une Tueuse dans des égouts bien répugnants, et la caméra plonge à leur suite.

Les enseignements de Buffy

† Quiconque pense que l'accès illimité à la nourriture de la cafétéria est un privilège devrait reconsidérer ses priorités.

† Même les infirmières ne sont pas en sécurité à Sunnydale !

† C'est toujours la faute des Russes.

† Le credo du nageur en maillot moulant : marcher doucement et toujours porter une protection en mousse.

† Le petit monde de Willow est le seul endroit où un beau camembert génère un sourire éclatant.

† Ne croyez pas que les vapeurs qui planent au-dessus de la piscine soient nécessairement dues au chlore.

† Si votre petit ami vous semble plus appétissant couvert de sauce tartare, plaquez-le !

† Aimer son entraîneur au sens gastronomique du terme n'est pas forcément une bonne chose.

Peu importe que les explications scientifiques ne tiennent pas debout.

De l'ADN de poissons russes ? Des stéroïdes inhalables ? Ben voyons...

Plus c'est gros, plus c'est bon.

Demandez à Godzilla : oui, la taille compte. Quelles que soient leurs origines, les monstres doivent être plus impressionnants que leurs victimes humaines ou que ceux qui les pourchassent.

Bien entendu, nous avons beau connaître tous ces « trucs », ça ne nous empêche pas de tomber dans le panneau. Puisant dans nos phobies les plus secrètes et jouant sur nos souvenirs de pseudo-histoires vraies, les scénaristes savent exactement sur quels boutons appuyer pour nous inspirer une saine terreur. Et quand l'impossible se produit, quand un accident rare vient confirmer nos craintes, c'est un outil supplémentaire qui atterrit sur leur établi !

N'avez-vous pas été choqués par la trappe qui ouvrait directement sur les égouts, en violation de toutes les règles de sécurité et d'hygiène américaines ? Ou par le fait que l'équipe de natation,

L'aviez-vous remarqué ?

Cet épisode explore les profondeurs cachées de nos héros. Jusqu'ici, qui savait que Cordélia était capable de dessiner et Alex de nager en compétition ? Bientôt, nous découvrirons peut-être Willow en train de divertir toute une salle, affublée d'un nez rouge et d'une perruque jaune frisée…

•

« C'est comme un cookie Oreo, mais sans le chocolat dedans. » – Willow

Saviez-vous que quand elle était enfant, Alyson Hannigan a tourné une publicité pour cette marque de biscuits ?

•

Encore une erreur de continuité. Observez le tableau des annonces du *Bronze*. Il est vide lors de l'arrivée de la bande à Buffy. Mais plus tard, quand la Tueuse sort en courant pour rattraper Angel (en train d'attaquer Gage dans une ruelle voisine), on peut y lire l'inscription : « Ce soir, DJ – entrée gratuite ».

qui dispose d'une immense et magnifique plage, choisisse de faire la fête à côté de la sortie de ces mêmes égouts ? Qu'est-ce que ce lieu peut bien avoir de si effrayant ? D'accord, il est sale et nauséabond, mais de là à inspirer la terreur...

Tout s'explique si on se réfère aux histoires de monstres mythiques soi-disant tapis dans les égouts. Presque toutes les grandes villes en ont. En 1956, les habitants de Chicago tiraient la chasse avant de s'asseoir sur les toilettes, de peur que des serpents n'en remontent. A San Francisco et à Detroit, des grenouilles géantes semèrent la panique. Apparemment, personne ne se demanda comment des créatures « aussi larges que des assiettes » auraient pu remonter dans des canalisations domestiques. Aussi incroyable que cela puisse paraître, cette hystérie collective trouve sa source dans un incident bien réel survenu à New York pendant les années 30.

Plusieurs personnes avaient repéré dans le Bronx des crocodiles, notamment un spécimen d'un mètre de long. Mais les autorités n'y prêtèrent pas attention jusqu'à ce que, des mois plus tard, deux égoutiers affirment avoir été chassés de leur poste de travail par des alligators longs de huit mètres.

Teddy May, le directeur des travaux publics de la ville, les soupçonna d'avoir un peu trop forcé sur la boisson. Les deux hommes protestèrent qu'ils n'avaient pas bu une goutte d'alcool. Pour mettre un terme aux rumeurs, May descendit dans les égouts armé en tout et pour tout d'une lampe-torche et d'une paire de cuissardes.

Il en ressortit quelques heures plus tard, pâle et tremblant de tous ses membres. Sur son ordre, on envoya dans les égouts de grandes quantités de viande empoisonnée, et des gardes armés accompagnèrent pendant un temps les employés municipaux qui devaient se rendre dans les tunnels.

Ce programme fut efficace. Tandis que la Seconde Guerre mondiale se profilait à l'horizon, les alligators furent relégués dans les archives des quotidiens. Mais bien qu'ils n'aient jamais été repérés à l'extérieur de New York, la panique qu'ils ont suscitée à l'époque perdure depuis plus d'un demi-siècle sous forme de légende urbaine, de vrai-faux souvenir de notre inconscient collectif n'attendant qu'une occasion pour remonter à la surface.

Aussi improbable que paraisse une créature fictive — et dans le domaine, difficile de faire mieux qu'un mutant transformé en poisson par des stéroïdes... —, on trouve toujours un événement extraordinaire dans la réalité pour le rendre crédible. Quand Jules Verne écrivit l'histoire du *Nautilus*, les lecteurs applaudirent son imagination débridée tout en se moquant sous cape de sa pieuvre géante et de son kraken. Ils ne pouvaient pas savoir que l'*octopus giganteus verrill* et *architeuthis*, si énorme que ses ventouses laissent des traces de plus d'un mètre de diamètre sur la peau des baleines, émergerait des profondeurs de l'océan un demi-siècle plus tard. Si cette créature ne vous semble pas assez impressionnante, il reste toujours le coelacanthe, qu'on croyait disparu depuis quarante millions d'années, mais dont on a récemment découvert des spécimens au large des côtes africaines.

L'intérêt d'un « film de monstres » n'est pas sa validité scientifique : c'est la terreur que savent éveiller les scénaristes en jouant sur nos peurs, avec notre accord et pour notre plus grand plaisir.

Quizz de l'apprentie tueuse

Questions

1. Qu'ont en commun Geoff Meed, Michiko Mishiwaki et Eric Saiet ?
   A Ils sont tous scénaristes
   B Ils ont tous joué un vampire dans *Buffy contre les Vampires*
   C Ils ont tous reçu un Emmy Award pour leur prestation dans *Buffy contre les Vampires*
   D Ils sont tous parents avec Joss Whedon

2. Lequel de ces films mettait en scène des monstres marins ?
   A *Abyss*
   B *Waterworld*
   C *Les Dents de la Mer*
   D *La Créature du Lagon Noir*

3. Qui est né le 20 février 1954 ?
   A Kristine Sutherland
   B Ken Lerner
   C Armin Shimerman
   D Anthony Stewart Head

4. Qui a présenté le *Saturday Night Live* du 17 janvier 1998 ?
   A Alyson Hannigan
   B Juliet Landau
   C Robia La Morte
   D Sarah Michelle Gellar

5. Quel acteur a joué un prêtre dans *Northern Exposure* avant d'interpréter un vampire dans *Buffy contre les Vampires* ?
   A James Marsters
   B Anthony Stewart Head
   C David Boreanaz
   D Ken Lerner

Réponses

1. B 2. D 3. D 4. D 5. A

Episode :

« Acathla » (1re et 2e parties)

Le résumé

Première partie : Les soupçons de Buffy — les trois vampires les plus turbulents de Sunnydale sont en train de mijoter un mauvais coup d'envergure cosmique —, sont confirmés par l'arrivée de Kendra. La seconde Tueuse lui apporte une épée, seule arme pouvant être utilisée contre le démon de pierre qui vient juste d'emménager au musée de Sunnydale. Les événements se précipitent quand la statue est dérobée et que Giles disparaît...

Deuxième partie : Des alliances surprenantes se font et se défont lorsque les membres de la bande à Buffy se retrouvent séparés par les circonstances, et que le triumvirat vampirique formé par Angel, Spike et Drusilla éclate pour cause de tensions internes. Vraiment seule pour la première fois depuis son arrivée à Sunnydale, Buffy doit prendre la décision la plus importante de sa courte vie sans l'aide d'aucune prophétie…

La version fouillée

Survivre aux vacances d'été

Les fans de *Buffy contre les Vampires* ont subi pendant l'été 98 une expérience qui, pour être commune à tous les amateurs de séries télévisées, n'en demeure pas moins extrêmement frustrante : les rediffusions !

Des semaines et des semaines de rediffusions ! *Buffy contre les Vampires* ayant été diffusée en cours d'année — en remplacement d'un programme annulé pour cause de mauvais Audimat —, la série fut d'abord un peu décalée dans le temps par rapport à ses consœurs. Le dernier épisode de la première saison, « Le Manuscrit », fut proposé aux spectateurs le 10 juin 1997, soit un mois plus tard que ceux des autres séries, qui bouclent généralement leur saison début mai. Quant à « La Métamorphose de Buffy », le premier épisode de la deuxième saison, il fut diffusé le 15 septembre, soit un mois *avant* celui des autres séries (voire deux dans le cas de certaines, comme *The X-Files* dont les fans doivent attendre près de six mois entre deux saisons). Donc, la coupure n'avait été que de trois mois.

Mais il n'en fut pas de même l'année suivante. Entre le 19 mai 1998, date de première diffusion d'« Acathla », et le début de la troisième saison de *Buffy contre les Vampires*, s'écoulèrent cinq très longs mois.

Heureusement que les admirateurs de

Buffy sont pleins de ressources et d'imagination. Pour tuer le temps, ils inventèrent deux moyens de recycler les vieux épisodes. Pensez-y la prochaine fois que vous vous plaindrez des rediffusions (inévitables puisqu'une saison comporte entre vingt et vingt-quatre épisodes, alors que l'année compte cinquante-deux semaines).

Le Buffysurf

Ce premier jeu nécessite un large éventail de scènes extraites de *Buffy contre les Vampires* et un peu de préparation. Mais en contrepartie de l'effort qu'il vous faudra fournir pour apprendre à utiliser deux magnétoscopes, vous obtiendrez une foule de variations amusantes pour occuper vos longues soirées d'été.

Copiez certains de vos passages favoris sur une même cassette, jusqu'à ce que vous disposiez d'une heure à une heure et demie d'enregistrement. Les courts dialogues ou les citations fonctionnent bien, à condition qu'ils ne soient pas liés à un épisode de manière évidente (sauf, bien sûr, si vous ne vous sentez pas à la hauteur...). Assurez-vous de noter leur provenance avant l'arrivée de vos amis ; il est toujours très embarrassant pour un arbitre de s'entendre prouver qu'il a tort ! Ensuite, il ne vous reste qu'à sortir le Coca et les chips, puis à accueillir deux équipes de fans aussi passionnés que vous.

Le principe du Buffysurf est très simple : la première équipe qui identifie la provenance de chaque extrait gagne un point (ou une sucrerie si vous jugez les récompenses en nature plus motivantes). A la fin, celle qui en a le moins paye les pizzas.

Evidemment, certains fans trouveront cette version basique un peu trop facile : ils connaissent par cœur chaque réplique, chaque regard, chaque mort survenue dans la série, et agacent tous les autres en répondant sans leur laisser le temps d'ouvrir la bouche. Pour ceux-là, une version plus corsée consiste à

Qui fait quoi ?

Numéro de production des épisodes :
Première Partie (Titre original : *Becoming*) 5V21,
Deuxième Partie (Titre original : *The Whistler*) 5V22
Date de première diffusion aux USA :
12 et 19 mai 1998
Scénariste : Joss Whedon
Réalisateur : Joss Whedon

Distribution

Buffy Summers	Sarah Michelle Gellar
Alexandre Harris	Nicholas Brendon
Willow Rosenberg	Alyson Hannigan
Cordélia Chase	Charisma Carpenter
Rupert Giles	Anthony Stewart Head

Invités

Angel (Angélus)	David Boreanaz
Oz	Seth Green
Joyce Summers	Kristine Sutherland
Jenny Calendar	Robia La Morte
Spike	James Marsters
Drusilla	Juliet Landau
Proviseur Snyder	Armin Shimerman
Whistler	Max Perlich

1re partie seulement	
Kendra	Bianca Lawson
Darla	Julie Benz
Conservateur du Musée	Jack McGee
Assistant du Conservateur	Richard Riehle
Gitane	Shannon Welles
Gitan	Zitto Kazaan
Fille	Ginger Williams
Professeur	Nina Gervitz
2e partie seulement	
Inspecteur	James G. MacDonald
Flic N° 1	Susan Leslie
Flic N° 2	Thomas G. Waites

leur laisser entendre le début d'une phrase, et à leur demander de citer la suite. Même règles, mêmes récompenses.

Le Buffy-Verres

Il existe autant de versions de ce jeu que de fans, mais l'idée générale reste la même. Photocopiez la liste ci-dessous, rassemblez autant de vos amis que possible et une grande quantité de votre boisson préférée ou d'une alternative non-alcoolisée qui vous paraîtra acceptable. (Personnellement, je raffole des oursons en gelée verts, mais des biscuits en forme d'animaux seraient sans doute plus appropriés.)

Si vous jouez devant une rediffusion, assurez-vous que tout le monde est bien installé et en possession d'un exemplaire de la liste avant le début de l'épisode. Si vous jouez avec une cassette enregistrée, je vous conseille de garder le contrôle de la télécommande : en tant qu'arbitre, vous devez pouvoir statuer rapidement.

Avant de commencer, vérifiez que chacun de vos invités a une assiette de biscuits ou une bouteille à portée de main. Eteignez les lumières (ça empêchera les concurrents de mater leur liste en douce), et c'est parti !

Avalez une gorgée (ou une bouchée) chaque fois que se produisent à l'écran les événements suivants :

- Buffy tue quelque chose.
- Alex fait une remarque ironique.
- Giles met plus de deux phrases à expliquer un concept simple.
- Angel dit quelque chose de mystérieux.
- La bibliothèque est mise à sac.
- Giles chausse ses lunettes.
- Giles enlève ses lunettes.
- Willow dit : « Ouah ! »
- Un vampire mord quelqu'un.
- La bande à Buffy se retrouve à la bibliothèque.
- Quelqu'un s'intéresse à un bijou.
- Quelqu'un dit : « Bouche de l'Enfer ».

- Quelqu'un dit : « Tueuse ».
- Quelqu'un dit : « Sunnydale ».
- Buffy soupire à cause d'Angel.
- Willow soupire à cause d'Alex ou d'Oz.

Les enseignements de Buffy

† On ne devrait pas tenir compte de vos mauvaises notes à un examen si celui-ci a lieu le jour d'une immolation vampirique.

† Pourquoi manger du rat quand des tripes dérobées au boucher du coin font aussi bien l'affaire ?

† Ce n'est jamais une bonne idée d'embrasser une femme plus âgée.

† Les femmes de ménage trop paresseuses pour nettoyer entre les bureaux devraient être félicitées plutôt que réprimandées.

† L'amour et le meurtre ne sont pas mutuellement exclusifs.

† La version vampirique d'un repas à emporter n'inclut pas de nems.

† Tous les bibliothécaires doublés d'un Observateur devraient posséder une Boule de Thésulah, ne serait-ce que pour s'en servir de presse-papiers.

† Il n'y a qu'Alex pour faire de bâtonnets de poisson un support éducatif.

† Etre aspiré en Enfer ou rater ses examens n'est pas un choix réjouissant.

† Une étreinte, c'est sexuellement gratifiant… et un bon moyen de cacher à votre petit ami que vous êtes sur le point de le tuer.

† Un amour sincère pour l'équipe de football de Manchester United sauvera peut-être le monde.

† Si vous trouvez embarrassant de présenter vos relations à votre mère, réjouissez-vous qu'aucune des vôtres ne soit un vampire aux cheveux décolorés.

† Un caillou, c'est bien. Un pieu, c'est mieux. Mais on ne fait pas plus versatile qu'une épée.

- Alex soupire à cause de Buffy ou de Cordélia.

- Buffy porte une croix autour du cou.

- Cordélia donne des conseils de beauté sans qu'on lui ait rien demandé.

- Le proviseur Snyder menace Buffy.

- On voit la bretelle de soutien-gorge de Buffy.

- Quelqu'un embrasse quelqu'un d'autre.

- Buffy écrabouille Giles pendant un entraînement.

- Buffy ou un de ses amis danse au *Bronze*.

- Alex tombe.

- Un smiley apparaît sur l'écran.

- Un autocollant WB apparaît sur l'écran.

- Buffy s'inquiète pour ses examens.

- Alex vanne Cordélia.

- Cordélia vanne Alex.

- Quelque chose de regrettable se produit dans les vestiaires.

- La bande à Buffy traîne dans le cimetière en attendant l'arrivée de quelqu'un.

- Cordélia retouche sa coiffure ou son maquillage.

- Oz conduit une camionnette.

- Oz dit quelque chose de cool.

- Oz joue au *Bronze*.

- Quelqu'un passe par la fenêtre de la chambre de Buffy.

- L'intérieur d'un vestiaire apparaît à l'écran.

L'aviez-vous remarqué ?

Dans la catégorie des « mais pourquoi n'ont-ils pas... ? »

Pourquoi personne ne se décide-t-il à fixer ces maudites étagères au sol ? Un tremblement de terre, l'ouverture de la Bouche de l'Enfer et la tentative d'Ethan de faire tomber toute la section Géographie sur Buffy n'ont-ils pas suffi à prouver leur manque de stabilité ?

Pourquoi Buffy ne possède-t-elle pas un pieu fétiche ? Kendra a même donné un nom au sien. Mais ceux de la première Tueuse ne cessent de disparaître après qu'elle les eut plongés dans le cœur d'un vampire. Giles pourrait quand même lui fournir des instruments de travail plus durables...

Pourquoi aucun membre de la bande à Buffy n'a-t-il mis Giles en garde contre les visites au musée ? Chaque fois qu'ils y sont allés avec le lycée, il leur est arrivé un pépin !

Pourquoi, sur les milliers de kilomètres qui

séparent Manhattan de Los Angeles, aucun gendarme n'a-t-il arrêté Angel qui conduisait une voiture aux vitres peintes en noir ?

Pourquoi, après avoir soigneusement protégé chacune de leurs maisons contre les intrusions vampiriques dans « La Boule de Thésulah », les amis de Buffy choisissent-ils, pour effectuer un rituel susceptible de déchaîner la fureur de tous les morts-vivants à des kilomètres à la ronde, la bibliothèque qui a déjà été mise à sac plusieurs fois et où leur amie Kendra est morte ?

•

A combien d'individus se monte la population vampirique de Sunnydale ? Dans cet épisode, quatre morts-vivants anonymes se sont fait régler leur compte, quatre autres ont enlevé Giles, et c'est sans parler du triumvirat Angélus/Spike/Drusilla ! Si encore ça s'arrêtait là... Mais Alex se plaint que la bande à Buffy en a tué cinq les nuits précédentes.

•

Si on part sur une base de onze vampires se nourrissant deux fois par semaine, cela nous mène à 1144 victimes par an : de quoi dépeupler une petite ville en moins de vingt ans. Et personne n'a l'air de s'en étonner...

•

Buffy a ôté le sien, mais avez-vous remarqué l'anneau *claddagh* d'Angélus ? Depuis la deuxième partie d'« Innocence », il le porte tourné vers l'extérieur.

•

Qu'est-il arrivé à la jolie barrette jaune de Buffy entre le moment où son premier Observateur l'approche à Los Angeles, et celui où elle rentre chez elle peu de temps après ?

•

Si la mère de Buffy ne l'a pas revue avant que l'inspecteur n'arrive chez elles, où la jeune fille a-t-elle laissé son manteau bleu et enfilé la pelure informe qui le remplace ? A-t-elle des caches de vêtements un peu partout en ville ?

•

Quel est l'intérêt d'étrangler un vampire qui n'a pas de souffle ?

•

Vous avez vu le logo de Mutant Enemy à la fin de la deuxième partie de cet épisode ? Au lieu de marmonner « Grrr-argh » comme d'habitude, il dit : « Je veux un câlin ».

- Quelque chose de regrettable se produit à la cafétéria.

- Alex mange.

- La bande à Buffy traîne au lycée après les cours.

- Willow allume un ordinateur.

- Giles manipule des livres.

- Quelqu'un jette un sort.

- Buffy ment à sa mère.

- Giles boit une tasse de quelque chose.

- Buffy appelle Willow « Will ».

- Joyce Summers mentionne sa galerie.

Avalez deux gorgées (ou deux bouchées) chaque fois que se produisent à l'écran les événements suivants :

- Un membre de la bande à Buffy (autre qu'elle) tue quelque chose.
- Angel tue quelque chose.
- Buffy embroche quelque chose d'autre qu'un vampire.
- Giles nettoie ses lunettes.
- Un vampire est montré sous son apparence bestiale.
- Des vampires envahissent la bibliothèque.
- Quelqu'un d'autre que Giles parle avec un accent.
- Quelqu'un mentionne Los Angeles.
- Giles frappe quelqu'un.

Avalez trois gorgées (ou trois bouchées) chaque fois que se produisent à l'écran les événements suivants :

- Quelqu'un d'autre que la Tueuse, ses amis ou Angel tue quelque chose.
- La voiture de Giles tombe en panne.
- Un démon est identifié par son nom.
- On sait quel groupe joue sur la scène du *Bronze*.
- Le proviseur Snyder invente une explication de toutes pièces.
- Quelqu'un parle de biscuits en forme d'animaux ou en consomme.
- Quelqu'un joue au billard au *Bronze*.
- Ethan Rayne fait une apparition.
- Quelqu'un se retrouve nu.

Videz votre verre ou votre assiette si se produit le rarissime événement suivant :

- Quelqu'un d'autre qu'un vampire revient d'entre les morts.

Et n'oubliez pas de porter un toast silencieux chaque fois qu'il est fait mention du proviseur Flutie ou de ce pauvre Herbert.

Bien entendu, ce n'est pas la seule liste possible. Dressez-en une autre quand vous en aurez assez de celle-là !

Quizz de l'apprentie tueuse

Questions

1. Qui a tourné dans le film *Buffy contre les Vampires*, mais a vu sa participation coupée au montage ?
   - A David Boreanaz
   - B Anthony Stewart Head
   - C Seth Green
   - D Armin Shimerman

2. Qui a été danseuse sur la tournée de l'artiste anciennement connu sous le nom de Prince, *Diamonds and Pearls* ?
   - A Charisma Carpenter
   - B Robia La Morte
   - C Sarah Michelle Gellar
   - D Bianca Lawson

3. La mascotte d'une de ces sociétés réclame parfois un câlin. Laquelle ?
   - A WB Television Network
   - B 20th Century Fox Film Corporation
   - C Mutant Enemy
   - D Kuzui Entreprises

4. Quel acteur n'a pas joué dans le film *Buffy contre les Vampires* ?
   - A Luke Perry
   - B Rutger Hauer
   - C Paul Reubens
   - D River Pheonix

5. Dans quel soap opera a joué Sarah Michelle Gellar ?
   - A *All my Children*
   - B *Days of Our Lives*
   - C *As the World Turns*
   - D *Bold and the Beautiful*

Réponses

1.C 2.B 3.C 4.D 5.A

Résultat des Quizz

Vous avez regardé tous les épisodes de *Buffy contre les Vampires* et testé vos connaissances ; il est temps de voir où vous vous placez sur l'échelle des Buffanatiques. Comptez vos bonnes réponses.

125-149 Effrayant ! Etes-vous certain de ne pas lorgner sur le poste de Giles ?

100-124 Willowien.

75-99 Ça ne suffirait sans doute pas au proviseur Snyder, mais vous auriez l'approbation de feu le proviseur Flutie.

50-74 Vous essayez d'obtenir votre diplôme de l'Ecole Alexienne des Crétins Mineurs, pas vrai ?

25-49	Allons, je parie que même Buffy obtient un meilleur score à ses examens ! A votre place, je me traînerais d'urgence à la bibliothèque…
10-24	Mieux vaudrait vous trouver un boulot de jour, parce que si vous croisez un vampire, vous êtes cuit !
0-9	Hou, les cornes !

Table des matières

Deuxième Saison

Achevé d'imprimer en mars 2000
sur les presses de l'imprimerie Bussière
à Saint-Amand (Cher)

FLEUVE NOIR
12, avenue d'Italie
75627 Paris Cedex 13
Tél. : 01-44-16-05-00

— N° d'imp. 756. —
Dépôt légal : avril 2000.

Imprimé en France